Beata Pawlikowska

W DŻUNGLI ŻYCIA

Wydanie III, napisane na nowo

Spis treści

P.S.

Wstęp

Szukałam w życiu szczęścia.

Wyruszałam w podróż po dobrze oznakowanych drogach. Myślałam, że prowadzą we właściwym kierunku. A potem nagle odkryłam, że te wydeptane trakty to bezduszne pustkowia, gdzie hula dziki wiatr.

Zaczęłam więc szukać dziewiczych ścieżek, przez które przedzierałam się wbrew woli i wbrew radom innych ludzi. Ostrzegano mnie, że źle skończę.

A ja po prostu nie byłam gotowa, żeby wyjść za mąż, urodzić dzieci, znaleźć bezpieczną pracę i zrobić kilka innych rzeczy, które „przecież należy zrobić".

Zamiast tego pasjami pisałam opowiadania i książki, malowałam, rozmyślałam, obserwowałam siebie, organizowałam kolejne wyprawy do Ameryki Południowej, Afryki czy Azji. Szukałam czegoś. Nie wiedziałam czym jest to „coś", ale miałam przeczucie, że jeśli zostanę wierna sobie, to prędzej lub później to znajdę.

Wiele razy byłam bliska utonięcia w trzęsawiskach dżungli amazońskiej i życiowych bagnach, takich jak narkotyki, alkohol, anoreksja, bulimia, samotność czy przemoc. Ale zawsze w ostatniej chwili ratował mnie wewnętrzny głos, który zaczynał krzyczeć, że przecież nie tego szukałam. Nie chciałam kończyć nieszczęśliwie jako bohaterka tragedii.

Chciałam żyć i być szczęśliwa.

Powracałam więc do przerwanej podróży przez rzeczywistość i wyruszałam na kolejny koniec świata, żeby znów próbować znaleźć drogę we właściwym kierunku.

Gdybym wiedziała dokładnie czego szukam albo jakie pytania powinnam zadać spotykanym po drodze ludziom, być może byłoby mi łatwiej. Ja tylko czułam, że powinno być inaczej, że życie nie może być beznadziejnym splotem okoliczności, w których człowiek jest bezradnym więźniem.

I rzeczywiście.

Odkryłam kilka ważnych rzeczy. Być może ktoś mi o nich mówił wcześniej, ale ja nie potrafiłam słuchać.

Musiałam więc sama sparzyć się wiele razy, żeby je zrozumieć. Dlatego postanowiłam o nich napisać.

Nauczyłam się pokonywać trudności i rozwiązywać problemy. Metodą prób i błędów odkryłam wreszcie jak sobie radzić i co w życiu jest najważniejsze. Ułożyłam swoje życie tak, że jestem szczęśliwa.

Ta książka opowiada o tym, jak szukałam właściwej drogi i jak ją odnalazłam. Mam nadzieję, że pomoże Wam odnaleźć siebie i swoje miejsce w świecie.

Caracas – Hawana – Warszawa 2005

Jeszcze kilka słów

Jest lipiec 2013 roku. Od napisania tej książki minęło osiem lat. Tylko osiem? Naprawdę? Mam wrażenie, że znacznie więcej. Bo tak dużo rzeczy zdarzyło się w moim życiu. Przestałam się spinać, że coś muszę i przestałam się śpieszyć. A kiedy przestałam się spinać i śpieszyć, to nagle zyskałam bardzo dużo czasu i jeszcze więcej chęci, żeby ten mój czas wykorzystać jak najlepiej.

Nie zaglądałam do tej książki od chwili jej napisania. Pisałam następne, odkrywałam kolejne „bardzo ważne rzeczy", podróżowałam, zachwycałam się. Pewnego dnia podczas spotkania z czytelnikami ktoś przyniósł tę książkę do podpisania. Wzięłam ją w dłonie, otworzyłam w przypadkowym miejscu i przeczytałam zdanie o tym, że instynktowną i najważniejszą potrzebą każdego człowieka jest poczucie bezpieczeństwa i akceptacji. I jeśli nie będzie go miał, to podświadomie będzie manipulował innymi ludźmi, żeby je sobie zapewnić.

Roześmiałam się i zdumiałam.

– Och! – zawołałam do siebie. – Ja o tym pisałam już wtedy?!

Czy mam wyjaśnić jak powstała ta książka?

Proszę bardzo.

Pewnego dnia usiadłam i zaczęłam ją pisać.

Nie wiedziałam dokładnie co w niej będzie, jakich słów użyję, jakich porównań ani jakie dokładnie sformułuję wnioski.

Wiedziałam tylko, że jest we mnie wiedza, którą pragnę przelać na papier.

Usiadłam i zaczęłam pisać. I wszystko w pewien sposób stało się samo. Nie zastanawiałam się co chcę napisać, tylko siadałam, otwierałam białą kartkę w komputerze i pisałam.

I pewnie dlatego napisałam tylko i wyłącznie czystą prawdę.

Także taką, z której końca nie zdawałam sobie sprawy.

Ta prawda leżała we mnie i odkrywała się przed moimi oczami w taki sam sposób, jak odkrywa się przed Tobą. Ja czytałam ją w sobie w taki sam sposób, jak Ty czytasz ją na kartkach tej książki.

Warszawa, lipiec 2013

ROZDZIAŁ 1

Początek

Miałam siedemnaście lat, kiedy wygrałam pierwszy konkurs literacki. Mieszkałam wtedy w Koszalinie i nie miałam przedniego zęba, który złamałam na bułce z szynką. Kilka miesięcy wcześniej stało się coś, co na zawsze zmieniło moje życie.

Bardzo dokładnie pamiętam ten moment.

To się zdarzyło w czasach P.I., czyli Przed Internetem. Wiem, trudno sobie wyobrazić świat bez Internetu, YouTube'a i poczty mailowej. Wyobraź sobie, że nie było też wtedy telefonów komórkowych. Ha! Nie było smsów ani elektronicznych plików z muzyką.

Ale był magnetofon i gramofon. Ten drugi służył do odtwarzania prawdziwych czarnych płyt winylowych. Innych wtedy nie było. Ach, zapomniałam dodać, że to był też czas Przed CD!!

Miałam gramofon kupiony w promocji z powodu zardzewiałych zawiasów, ale w fajnej drewnianej obudowie. Sprzedawca mówił, że taki gramofon ma lepszy dźwięk. Dla mnie miał rzeczywiście najpiękniejszy. Szczególnie tamtego dnia, kiedy położyłam na nim płytę. To właściwie nie była nawet płyta, tylko pocztówka dźwiękowa, czyli prostokątny kawałek plastiku ze zdjęciem obrazu żółtych kwiatów w wazonie.

Przyłożyłam igłę gramofonu[1] i zostałam zaklęta. Paul McCartney śpiewał „Michelle", a ja w jego głosie usłyszałam wszystko, o czym skrycie marzyłam: wolność, podróże, daleki świat, pasję tworzenia, sztukę, miłość.

Coś się wtedy we mnie odmieniło. Nabrałam głęboko powietrza i poczułam, że nagle mogę oddychać. Boże! A więc świat dorosłych może też wyglądać tak jak Beatlesi! Oni mieli w sobie radość, wydawali się wolni, niczym nie skrępowani i śpiewali o tym, co grało im w duszy!

Wtedy zaczęłam się uczyć angielskiego, żeby zrozumieć o czym śpiewają w piosenkach.

Wtedy też odkryłam, że muzyka ma w sobie niesamowitą moc. Podsuwała mi myśli i obrazy i tak głęboko poruszała moją wyobraźnię, że przenosiłam się w zupełnie inne światy.

Uciekałam na wagary. Rano wychodziłam z domu z zamiarem dotarcia do szkoły. Miałam odrobione zadania domowe i teczkę wypakowaną szkolnymi książkami. Wsiadałam do autobusu.

---

1) Gramofon odtwarzał muzykę za pomocą specjalnej igły umieszczonej na długim ramieniu. A muzyka była zapisana na płycie specjalnymi rowkami. I w tym rowku właśnie wędrowała igła.

I nagle autobus stawał przy wielkim parku pełnym starych drzew, tajemniczych alei i zapachu dżungli, a ja po prostu nie mogłam się powstrzymać. Przeciskałam się do wyjścia, wyskakiwałam na wolność i zanurzałam się w zieloności roślin. A potem szłam na drugą stronę parku do fonoteki w Bibliotece Wojewódzkiej. Siadałam w fotelu, nakładałam słuchawki na uszy i odpływałam w świat muzyki i najbardziej niezwykłych przygód w mojej wyobraźni.

Nie mogłam słuchać muzyki w milczeniu i z zamkniętymi oczami. Chwytałam za długopis i kartkę papieru, pisałam wiersze i opowiadania, rysowałam. Muzyka dyktowała mi myśli, słowa i obrazy.

Czasem zamiast na wagary, chodziłam też do szkoły. Ale muzyka bez przerwy we mnie grała, rysowałam więc podczas lekcji w szkolnych zeszytach, co strasznie wkurzało nauczycieli. Niektórzy za karę zabierali mi te zeszyty i nigdy nie dostałam ich z powrotem.

Pewnego dnia ktoś podsumował godziny mojej nieusprawiedliwionej nieobecności i postanowiono, że za karę powinnam zostać wyrzucona ze szkoły. I tak by się pewnie stało, gdyby nie szczęśliwy traf – jeden z wielu w moim życiu. Wychowawcą mojej klasy był artysta plastyk, Ryszard Dąbrowski, który na lekcjach wychowawczych uczył nas rysowania. Kto lepiej niż on mógł zrozumieć kogoś takiego jak ja? Chyba nawet nigdy o tym nie rozmawialiśmy. Byłam pochłonięta poznawaniem muzyki Beatlesów, Jean Michelle'a Jarre'a, Elvisa Presleya i Dire Straits; malowaniem, pisaniem i tworzeniem mojego własnego świata, w którym rosła dżungla i spacerowały tygrysy o kołyszących się biodrach.

Było mi wszystko jedno czy zostanę wyrzucona ze szkoły, czy nie. Byłam najbardziej zbuntowaną nastolatką, jaką można sobie wyobrazić. Z nikim nie chciałam rozmawiać, nikomu nie mogłam się zwierzyć.

Nawet nie wiedziałam, że mój wychowawca wziął pióro i jednym ruchem usprawiedliwił w Dzienniku wszystkie moje godziny wagarów. Dzięki temu mogłam skończyć szkołę średnią. I jak dotąd ostatnią w moim życiu.

Nauka zajmowała mnie tylko w takim stopniu, w jakim była konieczna. Najbardziej wymagająca była pani od chemii, więc w poniedziałki po lekcjach przynosiłam z piwnicy słoik kompotu śliwkowego (dla pokrzepienia sił) i wykuwałam na pamięć formułki i wzory. Następna w kolejności była geografia, bo nauczycielka wymagała znajomości wszystkich stolic, a dodatkowo odpytywała z poprzednich lekcji, więc trzeba było znać zagłębia węgla brunatnego, rozkład gleb w Polsce i podobne kompletnie nieinteresujące i nie poruszające wyobraźni rzeczy.

Dlaczego na lekcjach geografii nie opowiada się uczniom o tym jak fascynujące może być życie w innych krajach?... Nazwy stolic były dla mnie tylko martwymi słowami, które należało dopasować do wypłowiałej szkolnej mapy, z całych sił usiłowałam je sobie jednak wbić do głowy. Pewnego dnia zostałam wywołana do tablicy.

– Spójrz na siebie! Jak ty wyglądasz! – rzuciła z niesmakiem pani od geografii.

Rzeczywiście, nie wyglądałam najlepiej. Długie, proste włosy w mysim kolorze, które płukałam octem, żeby się łatwiej rozczesywały, stary szary sweter do pół uda, przykrótkie ciemne spodnie w żółty rzucik i błyszcząca pacyfa na rzemyku, którą własnoręcznie zrobiłam ze złotych koralików.

Nie pamiętam ile stolic udało mi się wymienić i pokazać na mapie. Pamiętam tylko, że w końcu padło pytanie o stolicę Malezji, a ja już czułam się kompletnie skołowana i nie byłam w stanie sobie przypomnieć, że zaledwie poprzedniego dnia wbijałam w pamięć to dziwne słowo „Kuala Lumpur".

Wiele lat później, kiedy przyleciałam do Malezji, żeby wziąć udział w rajdzie samochodami terenowymi Rainforest Challenge, zobaczyłam w centrum dwie potężne srebrne, błyszczące wieże – najwyższe bliźniacze wieże świata – i natychmiast przypomniała mi się tamta nieszczęsna lekcja. Dostałam dwóję – czyli najniższy stopień w ówczesnej skali, która sięgała od pały aż do piątki.

– Dwója?! – pomyślałam. – Ale jak to? Przecież ja się wczoraj uczyłam! Przecież całe bezcenne popołudnie poświęciłam na wykuwanie tych cholernych stolic!!!

To było niesprawiedliwe! Nie do zniesienia! Wróciłam na swoje miejsce, spakowałam książki, powiedziałam „do widzenia" i wyszłam z klasy, choć lekcja jeszcze nawet się nie zaczęła. Od tamtej pory na geografii miałam przechlapane.

W każdej wolnej chwili – w autobusach, podczas lekcji, w domu – pisałam opowiadania o dżungli, Nowym Jorku, Chinach, o rzeczach, miejscach i ludziach, które były dla mnie absolutnie niedostępne, ale istniały w mojej wyobraźni.

Wszystko było wtedy pierwsze: pierwsza publikacja w prasie – lokalnej gazecie „Głos Pomorza", gdzie zamieszczono

Zapakowałam książki i myślałam.
Od tamtej pory na geografii
miałam przechlapane

mój wiersz pt. „Nie wołam", pierwszy narzeczony – Mirek, który grał w drugoligowym zespole piłki ręcznej i słuchał Deep Purple, pierwsze nagrody w konkurach poetyckich i literackich, pierwszy występ w radiu, kiedy Grażyna Preder z Rozgłośni Polskiego Radia w Koszalinie zaprosiła mnie do studia na wywiad.

Nie przykładałam do tego wielkiej wagi.

Najważniejsze było podróżowanie w wyobraźni, pisanie, muzyka, rysowanie i malowanie. Byłam szczęśliwa, kiedy mogłam im się poświęcać. Nic innego właściwie mnie nie interesowało.

Mijały lata. Skończyłam szkołę, zdałam maturę i rozpoczęłam swobodny dryf po codzienności.

Niespodziewanie musiałam stanąć twarzą w twarz z realnym światem i czułam się bezradna. Ogarniał mnie smutek i czułam wewnątrz jakąś dziwną pustkę, której niczym nie umiałam zapełnić.

ROZDZIAŁ 2

Samotność

Byłam samotna. Nie brakowało ludzi dookoła, ale samotność to dziwnie dławiące uczucie nie przynależenia, wyobcowania i odrzucenia. To poczucie przeraźliwego smutku, który czai się na dnie serca i czasem rozlewa się po całym ciele jak choroba. W książce „Wielka rzeka" napisałam wtedy:

Samotność jest wielka jak dzień. Bo gdy wszystkie twoje tkliwe struny są zamknięte w jednej melodii, jesteś sam jak natchniony instrument w orkiestrze. A kiedy nagle orkiestra odchodzi, zapada cisza i żadne twoje dźwięki nie mogą się do niej dostroić.

Niektórzy ludzie rodzą się samotni. To nieuleczalna choroba, która pustoszy ich wnętrza, więc przez całe życie próbują tę pustkę czymś wypełnić – są straceńcami, kochankami, wynalazcami, artystami, sięgają coraz wyżej, idą coraz dalej, rozwijają wszystkie swoje talenty, żeby zagłuszyć czymś ciszę

Pewnego dnia zadałam sobie
podstawowe pytanie:
Dlaczego płaczesz?

*trwającą w środku; a chłód w nich rośnie, samotność żyje
i w końcu, gdy staną się zmęczeni wszystkimi czynnościami,
które miały ich wyzwolić, dopada ich samotność, która nie
jest niczym więcej jak przeraźliwym bólem duszy.*

*To jak krzyk, którego nikt nie usłyszy, jak tonięcie pośrodku
oceanu, jak doświadczanie raz po raz czegoś nieodwracal-
nego, tragicznego, ostatecznego, czegoś, co nie może istnieć
w świecie, bo musi zamieszkać w człowieku i trawić go jak
powracająca gorączka.*

*Samotni nie mają prawdziwych przyjaciół. Samotni nisz-
czą siebie samych, żeby unicestwić swoją chorobę. Nigdy nie
wyleczy ich żaden środek, żadna miłość. Samotność mieszka
w nich, a oni próbują się od niej uwolnić zmieniając żony,
mężów, narzeczonych, gonią za czymś na koniec świata,
zdobywają kolejne stopnie naukowe, zatracają się w pościgu
za przyjemnościami, cierpieniem albo pieniędzmi, walczą,
tworzą, pędzą, by skończyć w ciemności z łzami w oczach
i pękającym sercem.*

Dlatego często płakałam. Nachodził mnie wielki smutek,
którego źródła ani przyczyny nie potrafiłam określić. Był
po prostu jak ogromna czarna chmura. Im bardziej byłam
smutna, tym bardziej sobie współczułam i rozczulałam
się nad sobą, wywołując kolejną falę łez. Ale jednocześnie
z każdym dniem gdzieś głęboko we mnie rosła wątpliwość,
zastanowienie, refleksja i powracające pytanie: dlaczego tak
jest i czy ja tego chcę?...

Pewnego dnia, kiedy leżałam z zapuchniętymi od pła-
czu oczami, zadałam sobie pierwsze podstawowe pytanie:
„Dlaczego płaczesz?". Natychmiast odepchnęłam je od siebie,

bo przecież nie wypada wymagać od osoby cierpiącej, żeby udzielała logicznych odpowiedzi. Najpierw trzeba przytulić, pogłaskać, użalić się i tak dalej. Ale ja już wystarczająco się nad sobą narozczulałam i poużalałam.

Zapytałam więc jeszcze raz i natychmiast sobie odpowiedziałam:

– Bo jestem samotna i jestem smutna.
I wydawało mi się, że to wyjaśnia wszystko.
Jednak pytanie powróciło, jeszcze bardziej natarczywie. Tym razem poszłam o krok dalej i zapytałam:

– Ale zaraz: dlaczego jesteś samotna?
Tu odpowiedź też była łatwa:

– Bo nikt mnie nie rozumie! – odpowiedziałam sobie samej. – Nikt mnie nie kocha i nikomu nie jestem potrzebna.
Taki był mój sposób myślenia: ja jako ośrodek wszechświata, porzucony przez wszystkich i dlatego samotny. Ale dlaczego właściwie ktokolwiek miałby się mną opiekować albo mnie kochać?... Dlaczego oczekuję od ludzi czegoś, czego sama nie potrafię?...
A co najważniejsze: dlaczego moje dobre samopoczucie, szczęście i życie uzależniam od tego, co zechcą mi dać lub zrobić dla mnie inni ludzie?

Nagle usiadłam i zamrugałam oczami.

Łzy płynęły mi wciąż po policzkach, ale zrozumiałam wtedy ważną rzecz.

Zrozumiałam, że pretensje i oczekiwania mogę mieć tylko w stosunku do siebie. I że właściwie do tej pory świadomie nie zrobiłam chyba niczego, co mogłoby mieć wpływ na moją przyszłość.

Jakoś nigdy wcześniej nie wpadłam na ten logicznie prosty pomysł, że najważniejsze co mam do zrobienia, to zorganizowanie własnego życia. Zastanowienie się czego pragnę, o czym marzę, czego potrzebuję – a potem znalezienie sposobu, żeby to zrealizować.

Niby takie proste, ale dotarcie do tej prawdy zajęło mi kilka długich lat. Myślę, że to dlatego, że szkoła i dom uczą nas zależności, wypełniania narzuconych obowiązków i odrabiania prac domowych. Najważniejsze jest być „grzecznym" i nie sprawiać kłopotów. Młodym ludziom podsuwa się gotowe rozwiązania i narzuca uzależniający sposób myślenia: jesteś dobry, jeżeli dostajesz dobre stopnie i spełniasz oczekiwania nauczycieli i rodziców.

To nieprawda.

Jesteś dobry jeżeli sam wiesz czego chcesz i spełniasz swoje oczekiwania. Bo kto lepiej od ciebie będzie wiedział czego naprawdę potrzebujesz?...

ROZDZIAŁ 3

Ogród na pustyni

To był dopiero pierwszy nieśmiały krok w kierunku samodzielności i szczęścia. Wcale niełatwy, bo nagle zrozumiałam, że moje życie i ja sama jestem jak pustynia, na której nic nie rośnie. Nie wiem skąd wzięło się we mnie to głupie przekonanie, że coś wyrośnie samo albo że stanie się cud i zamieni pustynię w ogród. W głębi serca wiedziałam, że to przecież niemożliwe.

Rozejrzałam się więc wokół siebie i stwierdziłam, że jestem sama, brakuje mi celu, siły i wytrwałości, żeby osiągnąć cokolwiek z tego, o czym marzyłam. Postanowiłam to zmienić. Nie chciałam, żeby reszta mojego życia została zmarnowana na nieważne sprawy, roztkliwianie się na sobą, wieczny żal i tęsknotę za czymś, co nie nadchodzi.

Zaczęłam zadawać sobie uparcie pytania i domagać się odpowiedzi. W pierwszej chwili nawet próbowałam sama siebie zbywać, bo wstyd mi było przyznać się do wielu rzeczy. Ale w końcu ta rozmowa odbywała się tylko w zaciszu mojej duszy i miała mnie doprowadzić do pozytywnych zmian, których zawsze oczekiwałam. Nagle poczułam, że stoję u progu czegoś dobrego, że wreszcie odnajdę sens i radość.

Oczywiście wcześniej też zdarzały mi się momenty szczęścia. Od lat przecież zajmowałam się pisaniem opowiadań i książek, rysowałam, potem zaczęłam prowadzić audycje w radiu. W chwilach natchnienia stawałam się zupełnie inną osobą, pochłoniętą magią kreowania innego świata. Problem jednak polegał na tym, że nie byłam w stanie przewidzieć kiedy ogarnie mnie pozytywna twórcza energia, a kiedy zapadnę się znów w niebyt i bezradność.

Żyłam więc bez planu i bez pomysłu, dając się porwać zmiennym nastrojom i spełniając oczekiwania innych ludzi. I przez cały czas, dzień po dniu, narastało we mnie poczucie niespełnienia i dojmującego braku czegoś, czego nie umiałam ani nazwać, ani znaleźć.

Zdałam sobie sprawę z tego, że mam dwa wyjścia.

Albo żyć tak dalej – jak piłka odbijana od ścian spraw i innych ludzi; albo zacząć żyć inaczej.

Ale jak?... Nikt mi przecież nie powiedział co powinnam zrobić kiedy jestem nieszczęśliwa bez wyraźnego powodu.

...Prawdę mówiąc dostałam kiedyś kilka rad – tyle że wszystkie okazały się nieprzydatne. Najczęściej powtarzano mi, że powinnam wyjść za mąż, założyć rodzinę i urodzić dzieci. To miało naprowadzić mnie na „właściwy" tok myślenia.

Znajomi dorośli radzili:
– Znajdź sobie męża, załóż rodzinę, wtedy będziesz miała zajęcie i przestaniesz niepotrzebnie rozmyślać.

Rozważałam nawet tę opcję przez pewien czas. Ale czy zagubiony i nieszczęśliwy człowiek jest w stanie stworzyć szczęśliwą rodzinę i wychować swoje dzieci tak, żeby wyrosły na dobrych i samodzielnych ludzi? Myślę, że nie. Najpierw trzeba odnaleźć samego siebie, a potem dopiero można się tym dzielić z innymi ludźmi.

Z tej rady o rodzinie i dzieciach wynikało też jeszcze jedno fałszywe stwierdzenie, któremu dałam się nabrać. Bo jeżeli ktoś, kto ma większe doświadczenie ode mnie, jest „dorosły", nie narzeka na swoje życie, a nawet zawodowo zajmuje się doradzaniem innym ludziom, mówi mi, że najlepszym rozwiązaniem będzie znalezienie odpowiedniego człowieka, wyjście za mąż i założenie rodziny, to poniekąd sugeruje też, że jeżeli spotkam tego „odpowiedniego człowieka", to on sprawi, że moje życie stanie się lepsze, a ja wreszcie odnajdę szczęście.

Niestety, to nieprawda. Jest to namawianie do najmniejszego wysiłku i przerzucenia swoich oczekiwań, tęsknot i żali na drugiego człowieka. Jasne, że nikt nie robi tego świadomie. Ludzie zakochują się w sobie, są szczęśliwi, ale po pewnym czasie przestają widzieć w sobie wyłącznie dobre strony i powracają do codzienności. I wtedy wracają też wszystkie ich skrywane kłopoty, kompleksy, oczekiwania i rozczarowania. A przecież obecność tej drugiej osoby miała wszystko zmienić! Ale nie zmieniła, więc teraz te

...czasowości, jednak raczej niełatwa do osiągnięcia w sytuacji, gdy cała
najbliższa, np. dalsza rodzina, wtedy bowiem miał-
bym pewnie większą na głębszego marzenia.

Kiedy stanęłam na rozdrożu,
miałam dwie możliwości.
Postanowiłam zrobić to drugie
Ale jak ???

negatywne uczucia z przeszłości smakują jeszcze bardziej gorzko i zamiast – zgodnie z radami doświadczonych profesjonalistów – zniknąć w małżeństwie i rodzinie, zaczynają rosnąć i coraz bardziej rozdzielać dwoje ludzi.

Kiedy ja stanęłam na rozdrożu, nie umiałam tego wszystkiego nazwać, ale instynktownie wiedziałam, że droga rodziny i małżeństwa nie jest skutecznym rozwiązaniem problemu. Jest raczej tylko chwilowym odwróceniem uwagi.

A ja nie chciałam tymczasowej iluzji.
Chciałam znaleźć prawdziwe, dobre i trwałe rozwiązanie.

Pozostało więc znalezienie innego sposobu.

Miałam do wyboru dwie możliwości: żyć dalej tak jak dotychczas albo zmienić życie na lepsze.
Postanowiłam zrobić to drugie.

Ale jak?...

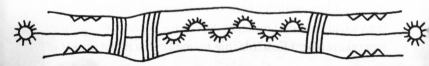

ROZDZIAŁ 4

Ale jak?...

Nauczyłam się rozmawiać ze sobą. Słuchać, nazywać rzeczy po imieniu i zadawać sobie pytania – i wtedy próbować znaleźć na nie słuszne i logiczne odpowiedzi. To nie było łatwe, bo od najwcześniejszych lat jesteśmy uczeni zależności i szukania pomocy u innych ludzi. Dlatego zwykle pierwszym odruchem jest próba znalezienia kogoś, „z kim można o tym porozmawiać".

Ja też szukałam. Rozmawiałam z księżmi, psychologami, nauczycielami, znajomymi, z osobami, które wydawały się moimi przyjaciółmi. Nikt nie potrafił mi udzielić jasnej i prostej odpowiedzi.

Wprost przeciwnie – wszystko pogrążało się w jeszcze większym mętliku. Jeden ksiądz powiedział, że „wszystko jest niewyjaśnione, ale jeżeli będę się dużo modlić, to zrozumiem". Inny ksiądz pouczył mnie, że dopóki nie zacznę żyć zgodnie z przykazaniami Kościoła, nie mam czego u niego szukać.

Psycholog zaczął od tego, że nie może udzielić mi żadnych odpowiedzi, bo to ja sama powinnam je znaleźć.

– Ale jak?... – jak bumerang powracało znów to samo pytanie. – Jak?...

Pewnego razu trafiłam też do pani psycholog, która była ubrana w powiewną suknię skrywającą potężną tuszę i kolorową jak skrzydła motyla. Z trudem mieściła się w fotelu. Miałam wtedy chyba 15 lat, chciałam rzucić szkołę i po kilku różnych bezskutecznych próbach przemówienia mi do rozumu skierowano mnie wreszcie do niej. Pamiętam krótką rozmowę, kiedy usiłowałam wyjaśnić dlaczego szkoła mnie zniewala. Miałam poczucie, że nie daje mi niczego pożytecznego i nie uczy mnie niczego, co kiedykolwiek przyda mi się w przyszłości.

– Ale to jest twój obowiązek – powiedziała pani psycholog. – Twoja praca. Każdy z nas musi pracować. Spójrz na mnie – ja pracuję kilkanaście godzin na dobę, wracam do domu w nocy i dopiero wtedy mam czas, żeby zjeść obiad. A potem idę spać i dlatego tak wyglądam.

Popatrzyłyśmy obie na jej pulchną sylwetkę.

– Ale co pani z tego ma? – zapytałam. – Co pani ma z tego, że pani tak ciężko pracuje?... Wielkie pieniądze? Wielką radość?....

Zapadła długa cisza.

I wtedy znów poczułam, że dookoła mnie dzieje się coś, czego nie rozumiem. Bo przecież nie chodzi o to, żeby znaleźć sobie miejsce w kieracie, nałożyć pętlę na szyję i do końca życia ciągnąć swój ciężar z mozołem i poświęceniem. Życie chyba powinno być radością, a człowiek powinien być zadowolony z tego kim jest i co robi. I czy to nie jest tak, że szczęśliwy człowiek lepiej pracuje, chętniej i sumienniej wypełnia swoje obowiązki i skuteczniej pomaga innym ludziom?....

Byłam jak Neo z „Matrixa" – przeczuwając, że poza światem, do którego mam dostęp – światem znanych mi dorosłych, ich problemów, trudnych spraw i pytań, na które nie można znaleźć odpowiedzi – jest też inny świat. Świat, w którym życie wygląda inaczej.

Zaczęłam więc szukać drogi prowadzącej do tego innego świata. Zajęło mi to mniej więcej piętnaście lat. Szukałam nad brzegiem Orinoko w dżungli amazońskiej, na pustyni w północnej Afryce, w hałasie wielkich miast takich jak São Paolo czy Buenos Aires, na kolumbijskich plantacjach kawy, plażach Meksyku, w ruinach wielkiego imperium Majów w Hondurasie i starożytnych miast Inków w Peru.

Nie wiedziałam w dodatku czy to czego szukam, naprawdę istnieje. Nie umiałam tego nazwać ani określić w żaden przybliżony sposób.

Po jakimś czasie okazało się, że to czego szukam, nie znajduje się w bogactwach pałaców na Florydzie ani błotnistych dolinach Panamy czy Ekwadoru, przez które wędrowałam. Nie znalazłam tego też w narkotykach, papierosach, alkoholu, seksie, obozach religijnych, jodze czy pracy.

Jedyne chwile, kiedy czułam bliskość tego drugiego świata i zyskiwałam na nowo pewność i niczym nie potwierdzone przekonanie, że on istnieje, zdarzały się wtedy, kiedy

zapominałam o wszystkim i oddawałam się malowaniu,
słuchaniu muzyki albo pisaniu. Wtedy czułam, że ten drugi świat jest odległy zakątkiem wyczuwalnej, równoleg-
łej, która stronę... Too i trzeba robić, żeby się wreszcie
zadomowić, stać się jego częścią, zamieszkać w niej... Trzeba wiedziałam. Pisałam więc opowiadania i powieści o po-
dobnym szczęściu, poddawałam wyrazne rzeczywistości
zasad... dla nigdo niedostępny, zostając samą sobą.

Bytam jak Neo z Matrixa.
Przeczuwałam, że poza światem dorosłych
i pytań ber odpowiedzi
jest też inny świat
gdzie życie wygląda inaczej

zapominałam o wszystkim i oddawałam się malowaniu, słuchaniu muzyki albo pisaniu. Wtedy czułam, że ten drugi świat jest odległy zaledwie o wyciągnięcie ramienia. Ale w którą stronę?... I co trzeba zrobić, żeby go wreszcie zobaczyć, stać się jego częścią, zamieszkać w nim?... Tego nie wiedziałam. Pisałam więc opowiadania i powieści o poszukiwaniu szczęścia, podróżach w nieznane i odkrywaniu świata, także tego niedostępnego naszym zmysłom.

Bohaterowie moich książek dużo ze sobą rozmawiali. Droy zadawał pytania, a Onegar próbował na nie odpowiadać, a potem było odwrotnie, ale ponieważ to ja byłam jednocześnie i Droyem, i Onegarem, to nauczyłam się prowadzić dialog z samą sobą. I to właśnie był pierwszy krok we właściwym kierunku.

ROZDZIAŁ 5

Pierwszy krok

Pamiętam moment rozterki, kiedy po raz pierwszy zadałam sobie samej pytanie na głos, tak jakbym zwracała się do obcej osoby.

Bo jest ogromna różnica w zadawaniu pytań sobie samemu a innej osobie. Kiedy człowiek pyta sam siebie, zwykle robi to w myślach i rzuca pytanie, nie zastanawiając się często w ogóle jaka mogłaby być na nie odpowiedź. Kiedy zadajemy pytanie drugiemu człowiekowi, podświadomie liczymy na to, że on włoży wysiłek w znalezienie dla nas odpowiedzi.

To znaczy, że pytanie samego siebie to tylko retoryczne hasło, przecinek wśród innych myśli. To pytanie wcale nie ma na celu znalezienia odpowiedzi, a jedynie podkreślenie faktu, że coś nas dziwi albo zastanawia. Jeżeli w myślach zadasz sobie pytanie na przykład:

– Jak najlepiej dotrzeć dzisiaj wieczorem do kina?

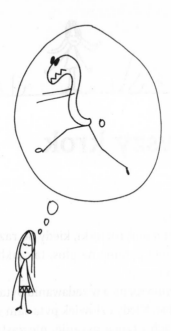

Pytanie wypowiedziane na głos
nabiera większej wagi
i staje się problemem, który
domaga się rozwiązania

To w myślach odpowiesz sobie pewnie mniej więcej tak:
– Autobusem... Ostatnio jechałem autobusem, a może pojechać tramwajem? Gdzie położyłem portfel? Żeby tylko nie zapomnieć zabrać go ze sobą. Głupio byłoby przyjechać do kina bez pieniędzy... Lodówka. Czy jest jeszcze sok? Miałem kupić sok, zapomniałem, zaraz muszę to zapisać na kartce, żeby pamiętać co kupić jak będę w sklepie następnym razem...

Kiedy znajdziesz kartkę i długopis, żeby zapisać listę zakupów, zapomnisz już dawno o pytaniach, jakie zadałeś sobie w myślach – o autobus i portfel. Możliwe, że przypomną Ci się dopiero wtedy, gdy będziesz siedział w taksówce i zorientujesz się, że kieszeń kurtki jest dziwnie płaska – bo nie masz w niej portfela z pieniędzmi, który zostawiłeś w plecaku.

Ale kiedy zwracamy się z pytaniem do innego człowieka, to stawiamy mu już znacznie wyższe wymagania niż sobie. Czekamy na odpowiedź. Przypominamy, jakie było pytanie. Być może jest tak dlatego, że pytanie wypowiedziane na głos nabiera większej wagi i staje się problemem, który domaga się rozwiązania. Poza tym łatwiej jest mieć surowe podejście i wyższe wymagania do kogoś innego.

Do samego siebie człowiek zwykle podchodzi z pobłażaniem. To też wynika z tego, że zostaliśmy nauczeni rozliczania się z wykonanych zadań wobec innych ludzi. Nauczono nas, że będzie trzeba wykazać się przed nauczycielem, pracodawcą, przełożonym – i przekonać ich, że to co zrobiliśmy, jest dobre i że nie można tego zrobić lepiej. Niezależnie od tego co naprawdę myślimy o tym, co właśnie zostało zrobione – nasze zadanie polega na tym, żeby jak najlepiej to „sprzedać" osobie, która nas ocenia.

Z tego wziął się sposób myślenia, że „może nie zauważy", czyli robienie czegoś nie najlepiej jak umiem, ale bez wkładania w to zbyt wielkiego wysiłku – tylko tyle, żeby zadowolić dyrektora czy kierownika.

Dlatego mój sposób myślenia zmienił się dopiero wtedy, gdy postanowiłam sama zostać dyrektorem mojego życia.

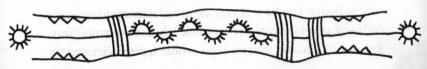

ROZDZIAŁ 6

Jestem dyrektorem mojego życia

Zmieniłam sposób myślenia o sobie, świecie i ludziach dookoła. Koniec ze spełnianiem oczekiwań innych osób wobec mnie. Koniec z bezproduktywnym marnowaniem czasu. Koniec ze łzami.

Jako dyrektor mam przed sobą zadanie do zrealizowania, a najlepsze w nim jest to, że ja sama je sobie określam i sama się z niego rozliczam. Nie ma mowy o niedoróbkach ani przymykaniu oka.

Mam przed sobą setki dróg, które poprowadzą mnie naprzód. Moje zadanie polega na dokonaniu wyboru którą drogą chcę iść i dokąd.

Oczywiście, już wcześniej się nad tym zastanawiałam. Kiedy byłam w szkole podstawowej, chciałam być piosenkarką albo aktorką. W szkole średniej chciałam zostać kierowcą TIR-a, żeby móc podróżować po świecie. Miałam też inny pomysł – chciałam zostać prezydentem Stanów Zjednoczonych. Ale nie zrobiłam niczego, żeby te marzenia zrealizować.

Kiedyś podczas rodzinnego oglądania telewizji usłyszeliśmy ogłoszenie, że producenci filmu poszukują dziewczynki o długich włosach, niebieskich oczach i szczupłej budowie ciała. Opis pasował w sam raz do mnie. Poszukiwana dziewczynka miała wystąpić w głównej roli w filmie dla młodzieży. Miałam wtedy chyba 10 lat.

– To może ja się zgłoszę? – zapytałam nieśmiało.
– Z takim katarem?... – zapytała moja mama, bo wtedy akurat rzeczywiście byłam przeziębiona i miałam potężny katar.

I na tym rozmowa się skończyła. Być może dlatego nie zostałam aktorką. Być może dlatego o mały włos nie zostałam *Nowhere Man,* człowiekiem znikąd, który nie wie kim jest ani kim chciałby być, bo całkowicie zagubił się w otaczającej go rzeczywistości.

A przecież wystarczyło podjąć decyzję i wprowadzić ją w czyn – wysłać swoje zdjęcie na podany adres wraz z kilkoma zdaniami o sobie. Nie żałuję, że tego nie zrobiłam, bo być może moim powołaniem wcale nie było zostać aktorką. Żałuję, że nikt mi nie powiedział, że jeżeli chcę cokolwiek osiągnąć w życiu, to muszę to po prostu zrobić sama – bo nikt inny za mnie tego nie zrobi. Zrozumiałam to dopiero wiele lat później i było to jedno z trzech największych odkryć mojego życia.

Alaska

Nebraska

W szkole średniej chciałam zostać
   kierowcą TIRa
albo prezydentem USA

Pewnego pięknego dnia postanowiłam więc wziąć moje życie we własne ręce i odtąd zacząć żyć tak, jak chcę i być szczęśliwa. Ale czego ja naprawdę chcę?...

I kiedy wreszcie zadałam sobie samej to pytanie na głos, nie mogłam go zwyczajnie zignorować. Zamilkłam i zaczęłam myśleć.

ROZDZIAŁ 7

Idę na studia

Nigdy wcześniej na poważnie nie zadałam sobie tego pytania. Skrycie marzyłam, że zostanę słynnym pisarzem, który podróżuje po świecie rozdając autografy, prezydentem Stanów Zjednoczonych, który zaprowadzi pokój na całym świecie, albo piosenkarką, która nagrywa płyty w milionowych nakładach, ma wielki dom z basenem w Kalifornii i codziennie na śniadanie pije szklankę świeżo wyciśniętego soku z pomarańczy.

Czasami musiałam udzielać oficjalnej odpowiedzi – kiedy pytano mnie w szkole albo kiedy pytali krewni lub rodzice. Odpowiadałam wtedy to, co chcieli usłyszeć. Moja mama chciała, żebym skończyła studia, więc mówiłam, że pewnie będę studiować anglistykę, a potem może zostanę tłumaczem.

Podczas rozmów z rówieśnikami jednym z argumentów na rzecz przyszłego zawodu była liczba kandydatów na jedno miejsce na wybranym kierunku studiów. Były modne kierunki, takie jak socjologia, psychologia czy kulturoznawstwo. Trzydziestu kandydatów na jedno miejsce!

Ja czułam, że nie jestem gotowa na wybranie konkretnego zawodu, więc postanowiłam pójść na anglistykę, bo wydawało mi się, że po takich studiach można robić bardzo różne rzeczy. Wojciech Mann, którego słuchałam w radiu, był przecież właśnie po anglistyce. Kiedy dobrze zna się język obcy, można podróżować, pisać, tłumaczyć literaturę, być przewodnikiem albo nauczycielem.

W głębi duszy nie chciałam iść na studia, bo szkoła podstawowa i średnia były dla mnie więzieniem. Ale ponieważ wszyscy mi mówili, że bez dyplomu niczego w życiu nie osiągnę, postanowiłam jednak spróbować.

Spodziewałam się, że wyższa uczelnia okaże się miejscem, gdzie spotkam mądrych przewodników, którzy pomogą mi rozwinąć skrzydła. Myślałam, że będę tam spędzać czas wśród ludzi twórczych i inteligentnych, otwartych na świat, którzy mnie pociągną za sobą. Wyobrażałam sobie, że to będzie wielka, intelektualna przygoda – tak samo jak w książkach Gertrudy Stein, która mieszkała w Paryżu na początku XX wieku, przyjaźniła się z Picassem, Matissem, Apollinairem, zapraszała na obiady Ernesta Hemingwaya czy Jamesa Joyce'a i prowadziła z nimi ożywione dyskusje o sztuce aż po świt.

Wkrótce jednak okazało się, że studia to tylko kolejna szkoła, gdzie wymaga się ode mnie czytania nieinteresujących książek i recytowania z pamięci gotowych formułek.

Nie było miejsca na twórczość, rozmowę, rozwijanie się. Zero kontaktu i porozumienia. Po dwóch miesiącach kupiłam butelkę wina, upiłam się, stwierdziłam:

– Nigdy więcej!

Spakowałam się, wróciłam do domu i zaczęłam pisać moją pierwszą powieść pt. „Powrót". Zaczynała się tak:

Wstawał dzień, kiedy się obudziłem. Pomyślałem – jeszcze jeden. Jakie to dziwne uczucie. Chciałem opuścić ludzi i dotrzeć do miejsca, z którego mógłbym ich obserwować. Udało mi się to. I po tylu samotnych dniach odkryłem tamtego poranka, że oddałem całego siebie Wyspie, a moje zmysły wciąż pamiętają przeszłość i właśnie w tamtej chwili przypomniały mi o tym. I takie to właśnie dziwne, że dążąc do czegoś i może nawet częściowo to osiągając, staje się to drugim życiem – i choć myśleliśmy zawsze, że jedynym, to jednak nie; to pierwsze, zwyczajne, należące do wszystkich i do nikogo, po prostu życie człowiecze, jest czymś, od czego trudno się uwolnić.

W chwili, kiedy uświadomiłem sobie, że Wyspa nie jest i nie będzie już tą samą, postanowiłem ją opuścić i wejść między ludzi, znaleźć się pośród wszystkich i wszystkiego, tak jak żyłem kiedyś.

Zabrałem więc dwa jajka na twardo, słoik dżemu i filiżankę z kawą, pożegnałem się z moją jedyną współmieszkanką i... rozpocząłem wędrówkę. Po godzinie byłem na wybrzeżu któregoś z lądów.

Baltazar wyruszył w podróż po świecie. Rozmawiał z drzewami, z Nocą, spotkał Beduinów na pustyni i ostatniego potomka Boga, trafił do podziemnego świata nieżywych, pływał statkiem po oceanie, został porwany przez

Myślałam, że studia mnie to będzie intelektualna przygoda — tak jak w książkach Gertrudy Stein, która przyjaźniła się z Picassem

dzieci, które w proteście przeciw dorosłym założyły Państwo Pluszowego Niedźwiadka, dostał się do więzienia, a potem na wojnę, gdzie zobaczył Uciekający Czas. Podróżował po całym świecie w poszukiwaniu szczęścia.

Miałam wtedy dwadzieścia lat. Wysłałam tę książkę na ogólnopolski konkurs literacki „Moje miejsce" ogłoszony przez wydawnictwo MAW i dostałam II nagrodę. W tygodniku „Antena" zamieszczono zapowiedź książki w odcinkach i jej recenzję:

Autorka nawiązuje do realistyczno-magicznego nurtu literatury iberoamerykańskiej, co uwidocznia się we wprowadzaniu wątków fantasmagorycznych. Fabuła stanowi pretekst do przekazania refleksji natury filozoficznej.

Książkę porównywano do stylu Italo Calvino, Gabriela Garcii Marqueza i Julio Cortázara – co było dla mnie o tyle zabawne, że wtedy usłyszałam te nazwiska po raz pierwszy. Czytałam Jacka Londona, Jamesa Curwooda, P.G. Wodehouse'a, Gertrudę Stein, Francisa Scotta Fitzgeralda, Ernesta Hemingwaya, Johna Steinbecka, Remarque'a, wsłuchiwałam się w teksty piosenek Beatlesów, ale nigdy wcześniej nie trafiłam na prozę iberoamerykańską. Może nie musiałam.

Ameryka Południowa od zawsze była gdzieś głęboko we mnie. Kiedy po latach wpadły mi w ręce rysunki robione w szkole podstawowej, znalazłam w nich elementy sztuki Majów i Azteków. Słowa „Meksyk" i „Peru" zawsze pociągały mnie jak magnes.

Moją powieść w radiu czytał Andrzej Zaorski, a odcinki nadawano codziennie tuż przed „Powtórką z rozrywki" i drugi raz wieczorem, o 19.50 w Programie III Polskiego Radia. W piątki końcową zapowiedź każdego odcinka czytał Marek Niedźwiecki – tuż przed „Listą przebojów Programu III". Mówił wtedy:

– Andrzej Zaorski przeczytał siedemnasty odcinek powieści Beaty Pawlikowskiej pod tytułem „Powrót". Ciąg dalszy w poniedziałek o godzinie 13.00.

A ja drżałam z wrażenia.

Zapraszano mnie na warsztaty literackie organizowane przez Korespondencyjny Klub Młodych Pisarzy. Raz nawet zostałam zaproszona na Warsztaty Poetyckie, które odbywały się jesienią w Poznaniu. Gorąco do tego przyjazdu namawiał mnie jeden z recenzentów związany z niedawno rozstrzygniętym konkursem „Moje miejsce".

– Powinnaś poznać środowisko literackie – przekonywał. – Zaprzyjaźniać się, rozmawiać, bywać.

Przyjechałam do Poznania wieczorem, wniosłam walizkę do hotelu i znajomy recenzent zaprowadził mnie do pokoju. Zapomniał mnie uprzedzić, że przewidział dla nas wspólny pokój, gdzie stało tylko jedno łóżko. Rzuciłam się do drzwi i chciałam natychmiast wracać do Koszalina.

– Nie denerwuj się – powiedział recenzent. – Nie ma sensu robić teraz hałasu, nie będziesz przecież po nocy jechała pociągiem, poza tym przecież wszyscy wiedzą, że przyjechałaś, to mnie może postawić w bardzo niekorzystnym świetle.

Stałam spłoszona przy drzwiach, zastanawiając się co robić. Pomyślałam, że może ja rzeczywiście nie mam racji. Jestem o połowę młodsza od niego, więc i pewnie o połowę mniej mądra. Jeżeli „dorosły" mówi, że powinnam zostać, bo nie ma sensu teraz wychodzić, to... chyba wie co mówi. Widząc moje wahanie recenzent dodał uspokajająco:

– Nie bój się, przecież nie musimy spać ze sobą „erotycznie".

Tamtej nocy, wyciągnięta sztywno na skraju łóżka i w pełnym ubraniu, nie zmrużyłam oka. Czasem czułam dotknięcie obcej ręki, lekkie, jakby tylko chciał sprawdzić, że wciąż tam jestem.

Ostatecznie – mimo podpisanej umowy – moja książka nie ukazała się drukiem, z bliżej niewyjaśnionych powodów.

Nie chcę też powiedzieć, że studia wyższe to zła rzecz. Znam ludzi, którzy lata spędzone na uniwersytecie wspominają jako najszczęśliwszy okres swojego życia.

Wszystko jednak zależy od tego, jakie podejmuje się decyzje. Najgorzej jest wtedy, kiedy człowiek w ogóle nie wie, że powinien je podejmować, ponieważ ostatecznie tylko on będzie ponosił konsekwencje złych wyborów.

Decyzja o zdawaniu na studia i rozpoczęcie najpierw hungarystyki w Warszawie, a potem anglistyki w Poznaniu nie była moja. Podjęłam ją pod wpływem różnych opinii i rad. Pewnie dlatego w głębi duszy nie miałam do niej przekonania – a potem na szczęście miałam na tyle rozumu, żeby porzucić to, co nie przynosiło mi ani radości, ani satysfakcji, i szukać dalej własnej drogi. Po omacku.

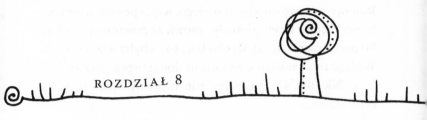

ROZDZIAŁ 8

Kampeszowe drzewo

Minęło parę lat. Zajmowałam się pisaniem, rysowaniem i słuchaniem muzyki. Odkryłam wtedy coś niezwykłego.

Potrafiłam włączyć się w muzykę, wejść w nią, tak jakby dźwięki stanowiły obłok energii, w którym można się zanurzyć i zatopić. Dźwięki, rytm głosu czy melodii przybierały konkretny kształt i kolory, które widziałam w wyobraźni i przekładałam na papier. Malowałam wtedy „portrety głosów", które dawałam w prezencie znajomym.

Wiele lat później, podczas jednej z wypraw do dżungli amazońskiej w Ameryki Południowej, dowiedziałam się, że istnieje coś w rodzaju tajemniczego rytmu zawartego we wszystkim, co istnieje. Wystarczy umieć włączyć się w ten rytm, żeby zyskać niezwykłą moc. Szaman indiański potrafi świadomie z tej mocy korzystać. Ja włączałam się w nią wtedy, kiedy przestawałam trzymać się rzeczywistości.

Puszczałam myśli, otwierałam coś w rodzaju wewnętrznego ucha albo oka i wtedy nagle wszystko działo się samo. Słowa się pisały, rysunki się rysowały. Do dzisiaj tak mam.

Ale wracam do przeszłości.

Czytałam bardzo dużo książek. Lubiłam książki podróżnicze i zawsze czułam się wtedy tak, jakbym to ja była ich bohaterem. Przedzieram się przez dżungle, cierpię z pragnienia na pustyni, błądzę w zatarasowanych dolinach, kupuję owoce na egzotycznych targowiskach i oswajam dzikie słonie.

Zaczęłam też pracować. Byłam operatorem komputera przemysłowego i sekretarką, podczas wakacji pracowałam w sklepie, a potem udzielałam lekcji angielskiego.

I oczywiście przez cały czas pisałam. Po skończeniu jednej powieści natychmiast zabierałam się za pisanie następnej. Wysyłałam je na konkursy literackie, dostawałam nagrody i całkiem poważne recenzje.

Oto fragment recenzji zbioru opowiadań napisanej przez Anatola Ulmana:

...Niewątpliwy talent literacki autorka poświęciła w zasadzie wyłącznie tworzeniu światów nierealnych oraz igraszkom formalnym. W dziedzinach tych jest prawie znakomita, a co więcej, trudno byłoby jej przypisywać jakieś naśladownictwa, choć utwory jej stanowią jakieś odbicie po latach francuskiego nadrealizmu, a przede wszystkim wyjątkowej angielskiej zabawy literackiej jak „Alicja w krainie czarów". Prawie chciałoby się rzec: Beata w krainie dziwów sennych. Momentami jest tak dobra jak Italo Calvino i Dino Buzzati.

Uważam, że utwory te koniecznie należy wydać w formie książki dla dobra smakoszów prozy oryginalnej, dojrzałej. Sądzę bowiem, że staną u początku drogi pisarza wybitnego.

Miałam wtedy dwadzieścia lat.

Dwa lata później Wojewódzki Urząd Kultury i Sztuki w Koszalinie przyznał mi nagrodę za „całokształt twórczości" i roczne stypendium twórcze. Ach, normalnie, przecież to jest niesamowite! Nigdy wcześniej i nigdy później nie dostałam „stypendium twórczego", które przyznaje się artystom po to, żeby mogli po prostu siedzieć i tworzyć!

To wtedy właśnie do Koszalina przyjechała dziennikarka pisma „Wybrzeże", Ryszarda Socha, żeby napisać o mnie artykuł. Ukazał się pod tytułem „W cieniu kampeszowego drzewa" i kończył się tak:

„Wydają mi się czasem groteskowi w swojej nieświadomości życia – mówi o ludziach Drzewo Kampeszowe, jeden z bohaterów „Powrotu" – dzień po dniu zaangażowani w egzystencję, nie sięgając po nadzieję spełnienia samego siebie".

Spełnienie dla Beaty Pawlikowskiej jest równoznaczne z prawdziwym sukcesem. A sukces to zrealizować siebie, iść konsekwentnie drogą, którą sobie wyznaczyła, stawać się coraz lepszą i lepszą. Lecz nie od kogoś innego, kogoś z otoczenia, tylko lepszą od samej siebie.

Te zdania brzmią na pewno pięknie, ale także dziecinnie i naiwnie. Ilu młodych, wrażliwych ludzi, rzekomych nonkonformistów składało sobie nie mniej wzniosłe przyrzeczenia? A z biegiem lat zwyciężał zwykle tzw. zdrowy rozsądek.

Młodzi dorośli rozmieniają ideały na drobne i sprzedają po kawałeczku – za dobrobyt, pozycję społeczną, za sławę, wygodę i święty spokój. Jaka będzie Beata za dziesięć albo za dwadzieścia lat?

Chętnie odpowiem na to pytanie.

Wciąż wierzę w to samo, w co wierzyłam wtedy.

Wciąż wymyślam Kampeszowe Drzewa i rysuję bohaterów moich opowiadań.

Wciąż idę po tej samej drodze, po której wtedy szłam.

Czasem wbrew wszystkim, ale zawsze zgodnie z tym, co słyszę we własnej duszy. I jedno wiem.

Dzisiaj, z mojej obecnej perspektywy „dorosłego człowieka", zrobiłabym wszystko jeszcze raz tak samo.

Bo myślę, że nie istnieje coś takiego jak „dorosłość", która połyka człowieka i zamienia go w nudziarza zajętego wieczną pogonią za pieniędzmi i brakującym czasem.

Taka nieszczęśliwa dorosłość to tylko stan umysłu. To wybór, jakiego człowiek dokonuje własnymi decyzjami.

Kiedyś miałam gorącą nadzieję, że można być szczęśliwym dorosłym.

Teraz wiem na pewno, że to jest możliwe.

I jestem jednym z najszczęśliwszych ludzi na Ziemi, bo lubię moje życie. Jest dokładnie tak, jak sobie wymarzyłam. A właściwie nawet lepiej, bo ja wtedy nie miałam odwagi, żeby o czymś takim marzyć.

Więc właściwie chcę powiedzieć tylko jedno:

Bądź wierny sobie. Słuchaj swoich myśli i marzeń. Rozmawiaj ze sobą. Pytaj siebie czego naprawdę chcesz. Nie zgadzaj się na to, do czego nie masz przekonania. Szukaj swojej drogi. I kochaj każdy krok, jaki stawiasz ku przyszłości. Twoja wewnętrzna siła cię poprowadzi.

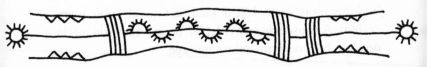

ROZDZIAŁ 9

Wielka ucieczka

Zaczęłam współpracować z rozgłośnią Polskiego Radia w Koszalinie, gdzie najpierw wymyśliłam radiowy kurs języka angielskiego, a później prowadziłam audycje muzyczne. Ciągle jednak marzyłam o tym, żeby uciec z kraju, który ograniczał moją wolność.

Niespodziewanie dowiedziałam się, że brat jednej z koleżanek radiowych od kilku miesięcy pracuje nielegalnie na budowie w Londynie. To był znak. Złożyłam komplet dokumentów w ambasadzie, dostałam wizę turystyczną, spakowałam się i wsiadłam do autobusu. Na stacji Victoria czekał na mnie Zbyszek.

Szybko znalazłam pracę jako sprzątaczka w hotelu.

Oto moja wolność.

Mieszkam w kosmopolitycznym mieście, gdzie po ulicach chodzą ludzie o wszystkich możliwych kolorach skóry, a ja niespodziewanie mam przywilej używać tych samych chodników. Czułam się jak Kopciuszek zaproszony do pałacu na bal.

Biedna Polka z komunistycznej Polski tuż obok wolnych i dumnych Anglików. Wydawało mi się, że ucieczka z Polski będzie rozwiązaniem moich wszystkich problemów i nada sens reszcie mojego życia.

Praca nie była łatwa, bo to nie był hotel turystyczny, do którego przybywają goście na dzień lub dwa.

To był hotel dla bezdomnych. Przechowalnia dla ludzi oczekujących na przydział komunalnego mieszkania. W małych pokojach umieszczano całe rodziny najbiedniejszych londyńczyków, który spali i żyli na pudłach z całym dobytkiem. Czasem do sprzątania pozostawał tylko wąski pasek dywanu przy drzwiach i pod łóżkiem. Ludzie na zasiłkach, bezrobotni, porzucone matki z gromadką dzieci, staruszkowie, którzy często nie potrafili zadbać ani o siebie, ani o miejsce, w którym się znaleźli.

Razem ze mną pracowały dwie Turczynki i młoda dziewczyna z Algierii – wszystkie tak samo jak ja, nielegalnie. Rano przygotowywałyśmy proste śniadanie dla mieszkańców hotelu: sok pomarańczowy z kartonu, grzanki z dżemem i herbata z mlekiem, a potem zabierałyśmy się za sprzątanie. Najgorsze były pokoje, z których ktoś właśnie się wyprowadził. Trzeba było myć białe ściany, szorować łazienkę, wywabiać plamy z wykładziny.

Oto moja wolność
Mieszkam w kosmopolitycznym mieście,
gdzie po ulicach chodzą ludzie
   z całego świata
      – i ja wśród nich

Wyobraź sobie hotel dla bezdomnych, którzy czekają na przydział darmowego mieszkania. Są bezradni, wkurzeni, na łasce pomocy społecznej. Myślisz, że chce im się dbać o miejsce, w którym zostali przejściowo umieszczeni? W życiu! Poza tym przecież codziennie przychodziły cztery sprzątaczki – nielegalne imigrantki – których zadaniem było posprzątać to wszystko, co zostało zabrudzone.

Najważniejsze jednak było to, że co tydzień dostawałam pensję, wpłacałam ją do banku i odkładałam na wielką podróż dookoła świata.

Od czasu do czasu pozwalałam sobie na dwie luksusowe przyjemności. Pierwszą były koncerty wielkich gwiazd – Prince, James Brown, Michael Jackson. Ach, to było niesamowite! To specjalne wyreżyserowane widowiska z ruszającymi się scenami, wybuchami, układami choreograficznymi i specjalnymi niespodziankami dla widzów. Warte moich ciężko zarobionych pieniędzy.

Tak samo jak londyńskie dyskoteki z oszałamiającą muzyką house w mega nagłośnieniu. To była najnowsza moda, która właśnie przybyła do Londynu z klubów tanecznych Nowego Jorku i Detroit.

Mały klub. Ciężkie drzwi. Hipnotyczny rytm dudniący dookoła jak wybuch wulkanu. W pierwszym momencie wydawało się, że muzyka wtłoczy człowieka w podłogę, odbierze zmysły, a pulsujący basowy beat zadławi serce. Mijało kilka sekund. Stałam oszołomiona, ogłuszona, a potem niespodziewanie miałam ochotę na więcej. I zostawałam do rana.

Po kilku miesiącach straciłam pracę w hotelu, ale szybko znalazłam następną, w małym greckim barze. Robiłam wszystko, co było potrzebne: zmywałam naczynia, przygotowywałam kanapki, nauczyłam się robić prawdziwą herbatę po angielsku, przyjmowałam zamówienia, przynosiłam dania, pomagałam w gotowaniu.

Właściciel był emigrantem z Grecji i musiał mieć problemy z żoną, bo ciągle opowiadał o tym, że mu się nie układa. Kilka razy proponował, że zabierze mnie na wyścigi psów, a ja z uśmiechem odpowiadałam, że chętnie pójdę. Na szczęście nigdy się tak nie stało. Wtedy nie zdawałam sobie z tego sprawy, ale dzisiaj myślę, że znajomością ze mną chciał sobie nadrobić małżeńskie kłopoty.

Czasem nadużywał swojej pozycji jako szefa i właściciela baru. Opowiadał sprośne dowcipy, rozdawał klapsy, krzyczał kiedy był niezadowolony. Nauczył mnie jednak pracowitości. Obowiązki były najważniejsze. Bez przerwy mnie poganiał i strofował. Nawet kiedy siadałam na chwilę z kanapką, natychmiast musiałam wszystko rzucić jeśli do baru akurat wszedł klient.

A ja starałam się jak tylko mogłam. Pewnego dnia wpadłam na pomysł, żeby gotowaną marchewkę podawaną do zestawów obiadowych kroić nie w plasterki, ale w słupki. Mój pomysł został na stałe wprowadzony do menu i towarzyszył popisowemu daniu szefa baru, słynnemu greckiemu *kleftiko*, czyli pieczonej jagnięcinie. Dla mnie to był wielki sukces!

Cały pobyt w Londynie był intrygującym doświadczeniem. Chciałam uciec z Polski, bo miałam w wyobraźni cudowną wizję „Zachodu". Wydawało mi się, że to jest kolorowe, radosne miejsce, gdzie każdy człowiek może być wolny, bogaty i szczęśliwy. Że wystarczy tam przyjechać, żeby to szczęście i wolność po prostu na mnie spłynęło. I bardzo się myliłam.

Wiele lat później zrozumiałam, że zachowałam się wtedy dokładnie tak samo, jak Indianie, których spotkałam nad Amazonką. Przez dwa tygodnie płynęli czółnem i wędrowali pieszo przez dżunglę w nadziei dotarcia do miasta. Nie wiedzieli dokładnie czym jest to „miasto", bo nigdy wcześniej go nie widzieli, ale niektórzy opowiadali, że tam wszyscy piję niezwykłe napoje i mają małe ludziki w pudełkach.

Dla kogoś, kto nigdy nie widział telewizora, tak to właśnie mogło wyglądać. A jeśli ktoś nigdy wcześniej nie próbował kawy, na pewno będzie zaskoczony jej smakiem, zapachem i wyglądem.

Indianie byli więc gotowi na zawsze porzucić swoje wioski, rodziny i tradycje, w błędnym przekonaniu, że jeśli uda im się dotrzeć do „miasta", to oni też będą mieli dużo niezwykłych napoi i własne ludziki w pudełku.

Przeżyłam dokładnie to samo, co przydarzyło się potem tym amazońskim Indianom. Dotarli do miasta swoich marzeń i nie potrafili się w nim odnaleźć.

W Londynie od samego początku mieszkałam i pracowałam wśród najbiedniejszych. Najpierw w hotelu zajmowanym przez bezrobotnych i bezdomnych, a potem w barze, do którego przychodzili na tanie posiłki robotnicy z pobliskiej budowy i fabryki. Nie było nawet prawdziwego menu, tylko trzy zestawy do wyboru. W każdym zestawie śniadaniowym zawsze musiały się znaleźć trzy najbardziej typowe angielskie składniki, czyli smażony bekon, omlet albo jajecznica i kiełbaski.

Nie dla mnie były blaski i luksusy słynnych londyńskich sklepów w West Endzie, hotele o marmurowych posadzkach czy restauracje nad Tamizą. Mogłam jedynie metrem pojechać do Hyde Parku albo na Picadilly Circus. I coraz wyraźniej zaczynałam rozumieć na czym polega prawdziwy świat i prawdziwe życie – bardzo dalekie od bajkowych opowieści, idealizujących wyobrażeń i lukrowanych pocztówek z wakacji.

Ani na chwilę nie przestałam oczywiście pisać, rysować, marzyć i szukać odpowiedzi na pytanie o szczęście i prawdziwe życie. W Londynie napisałam opowiadanie „Studnia", a jego bohater, Szczur, mówi:

Studnia była dla nas bajką. Wszyscy mówili, że tam buty nakładają się same. Mało kto naprawdę w to wierzył, ale niektórzy próbowali sprawdzić.

Kiedy odnalazłem drogę przez kanały, czułem się jak Kolumb. Nieznana ziemia, baśń, czysta fantazja, która staje się prawdą, materializuje się pod moimi stopami. Przekonałem się na własne oczy co z naszych opowieści było prawdą.

Rzeczywiście, w Studni nigdy nie wiał wiatr; ale rzadko bywało tu słońce. Tak, było tu spokojniej, ale ten spokój miał w sobie coś z obojętności. Pozornie wszystko było tu inne, ale w rzeczywistości było identyczne, tylko w nieco zmieniony sposób.

I w końcu tak, miałem powód do chwały – przybyłem w to legendarne miejsce; ale byłem tu zupełnie samotny.

Ostatecznie naładowałem kieszenie kamykami z dna Studni i wróciłem na Szczurzy Ląd. Nikt mi nie uwierzył jaka jest prawda i Szczurze Plemię zaczęło wędrować.

To prawda, że tu nie wieje wiatr i nie zmokniesz w deszczu. Ale jeżeli urodziłeś się Szczurem, Szczurem pozostaniesz. Mamy gwałtowne serca. Uniesieni gniewem uciekamy z łąki gdy zaczyna się burza, ale wracamy gdy przestaje grzmieć.

Do mojego greckiego baru często przychodził Peter, który miał około czterdziestu lat i jedną sztywną nogę. Siadał na krześle, odstawiał kule i powoli, bez pośpiechu pił herbatę. Kiedyś zapytał czy przypadkiem nie szukam nowej pracy, lżejszej i lepiej płatnej.

A co miałabym robić? – zapytałam.

To taka praca w biurze – powiedział Peter. – Przyjdź dzisiaj po pracy, to ci pokażę.

Po południu zastukałam do drzwi dużego domu niedaleko baru. Peter otworzył i na chwilę zostawił mnie w hallu, który był jednocześnie wielkim pokojem, gdzie stał największy telewizor, jaki widziałam w życiu i dwa ogromne czarne posągi murzyńskich wojowników.

Potem Peter zaprowadził mnie schodami w dół, gdzie ciągnął się wąski korytarz z wieloma parami drzwi. Otworzył jedne z nich. Wewnątrz stało szerokie czerwone łóżko, na ścianach wisiały pęki rzemieni i skórzane buty.

To jest biuro? – domyśliłam się.

Tak – przytaknął z zachęcającym uśmiechem Peter. – Mogłabyś zacząć pracę po krótkim przeszkoleniu.

Powiedziałam mu, że nie chcę.

Potrafiłam już skakać na głęboką wodę i sama podejmować decyzje dotyczące mojego życia, nawet wtedy, gdy robiłam to wbrew całemu światu i radom wszystkich „życzliwych".

Dlatego rzuciłam studia, zajęłam się pisaniem i rysowaniem, a potem postanowiłam uciec z Polski, która zniewalała mnie jako człowieka – tak samo jak kiedyś szkoła podstawowa i średnia.

Przyszedł jednak dzień, kiedy Polska stała się wolnym krajem, w którym każdy człowiek miał prawo posiadać paszport i z niego korzystać. Wtedy wróciłam.

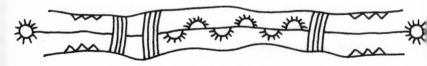

ROZDZIAŁ 10

Teoretycznie wszystko gra

Wróciłam do Polski i zaczęłam na nowo układać swoje życie. Dostałam propozycję pracy w Radiu Kolor, które właśnie wtedy otwierał Wojciech Mann wspólnie z Krzysztofem Materną. Dyrektorem muzycznym w tej nowej stacji miał być Grzegorz Brzozowicz, który wcześniej razem z Maciejem Chmielem prowadził audycję „Tam-Tam" (czyli „Pięść boksera") w Trójce, do której nadawałam cotygodniowe relacje z Londynu. I w ten właśnie sposób historia w tajemniczy sposób zatoczyła koło, a ja nagle zostałam zaproszona do pałacu, który kiedyś oglądałam tylko z daleka – czyli do wielkiego miasta Warszawy. Ja – Kopciuszek, dostałam zaproszenie na królewski bal. Tak się wtedy czułam.

Przyjechałam do Warszawy jako dziewczyna znikąd, bez znajomości i bez przyjaciół, bo przecież wszyscy moi znajomi, z którymi chodziłam kiedyś do szkoły, zostali w Koszalinie. Spakowałam swój dobytek w kilka kartonów i zadzwoniłam do radia, które było wtedy rodzajem skrzynki kontaktowej dla słuchaczy z całej Polski. O Internecie nikomu się jeszcze wtedy nie śniło, bo chyba nawet nie został wynaleziony. Powiedziałam reporterce, że przeprowadzam się do Warszawy i mam kilka kartonów, których nie dam rady przewieźć pociągiem. Czy może jakiś kierowca ciężarówki będzie w najbliższych dniach jechał z Koszalina do stolicy?

Tego samego dnia zadzwonił do mnie kierowca TIR-a, że mogę się zabrać. Pewnego zimowego wieczoru zapakowałam się więc do ciężarówki i wyruszyłam w podróż do Warszawy. Pamiętam tylko tyle, że jechaliśmy przez całą noc, a ja siedziałam pośrodku w szoferce, z nogami przyciśniętymi do skrzyni biegów.

Przez trzy dni mieszkałam u dawnych znajomych moich rodziców, a potem znalazłam mieszkanie do wynajęcia. Miałam trochę pieniędzy przywiezionych z Londynu, przeprowadziłam się więc i rozpoczęłam samodzielne życie.

W Radiu Kolor poznałam Wojciecha Manna, Grzegorza Wasowskiego i Jana Chojnackiego. Byli wielkimi gwiazdorami, takimi jakimi dzisiaj jest Doda czy Robert Lewandowski. Ale jednocześnie byli normalnymi, żywymi, myślącymi ludźmi, którzy uczyli zebraną przez siebie grupę amatorów podstaw radiowej sztuki.

Niby więc wszystko toczyło się dobrze. Pracowałam w radiu, zajmowałam się tłumaczeniami, pewnego dnia spotkałam mężczyznę, w którym się zakochałam i który zakochał się we mnie. Pieniądze zbierane przez ostatnie lata wreszcie pozwoliły mi spełnić jedno z moich największych marzeń: zaczęłam podróżować. Wyjechałam w pierwszą wielką podróż za ocean.

Teoretycznie wszystko więc powinno grać. A jednak wcale nie byłam szczęśliwa. Wciąż drążył mnie dziwny niepokój, napadała samotność i przerażający smutek, któremu ulegałam co pewien czas, nie wiedząc skąd się bierze ani jak sobie z nim poradzić.

Pewnego dnia zadzwonił do mnie dyrektor Programu III – Paweł Zegarłowicz z pytaniem, czy nie chciałabym zacząć pracować w Trójce. Poczułam się tak, jakbym dostała Oscara. Kopciuszek nie tylko został wpuszczony do pałacu, ale wezwano go do sali tronowej. Rety! Poznałam wszystkie legendarne osoby, których wcześniej słuchałam przez radio, ani przez chwilę nie myśląc, że będę miała okazję stanąć z nimi kiedykolwiek twarzą w twarz. Mówiłam do tego samego mikrofonu, co Marek Niedźwiecki!

Pomyślałam, że wreszcie znalazłam swoje miejsce w życiu. Szłam radiowym korytarzem niosąc taśmy albo pudełko z płytami i nie mogłam się nadziwić, że to naprawdę ja i że zdarzyło mi się coś tak niezwykłego.

Prowadziłam różne audycje – od sobotniego porannego „Zapraszamy do Trójki", przez „Muzyczną pocztę UKF", „15:10 do Memphis – rozmowy o Elvisie Presleyu", aż po pierwszą interaktywną audycję radiową „Internoc", która była połączeniem radia i początkującego wtedy Internetu. Audycja zaczynała się grubo po północy, ale udawało nam się

Wszystko toczyło się dobrze
Pracowałam w radiu i zaczęłam
podróżować. A jednak wciąż
drążył mnie dziwny niepokój

zapraszać wielkie gwiazdy: Kayah (która przyjechała prosto z imprezy w stroju balowym), Przemysława Saletę (który nie chcąc się spóźnić jechał przez Warszawę z prędkością 180 kilometrów na godzinę i został zatrzymany przez policję) czy Krystynę Czubówną, która na pytanie o największe marzenie odpowiedziała, że marzy o szczęściu w miłości.

Z Grzegorzem Wasowskim prowadziliśmy „Listę przebojów dla oldboyów" z największymi przebojami lat sześćdziesiątych.

Bez reszty oddawałam się pracy w radiu, przygotowywaniu audycji i szukaniu nowych pomysłów.

Kiedy Marek Niedźwiecki poprosił, żebym podczas jego nieobecności poprowadziła najsłynniejszą audycję Trójki, czyli „Listę przebojów", wpadłam na pomysł pętli czasowej.

Podczas prowadzenia „Listy" do programu włączyła się nagle słuchaczka, która zatelefonowała z bardzo daleka. Wkrótce się okazało, że jest daleko nie tylko w przestrzeni, ale i w czasie – dzwoniła z przyszłości, a właściwie nawet nie „dzwoniła", tylko przez przypadek wpadła w szczelinę czasu i nawiązała kontakt z przeszłością – a transformatorem tego łączenia był srebrny toster stojący w jej nowoczesnej kuchni.

Jej głos był moim głosem, nagranym kilka godzin wcześniej. Prowadziłam więc rozmowę z nią – czyli z sobą samą – i stopniowo wyjaśniało się kim jest i jakim cudem przerywa mi audycję w najbardziej niespodziewanych momentach. Byłam w trakcie zapowiadania piosenki, gdy nagle rozlegało się chrobotanie i kobiecy głos żądał:

– Kim pani jest? Dlaczego pani mówi do mnie z tostera?

A ja odpowiadałam jej jak umiałam.

Potem miałam jeszcze jeden niewinny pomysł i zrobiłam specjalne wydanie „Listy przebojów" z udźwiękowionymi piosenkami.

Nie spodziewałam się, że to wywoła fale protestów słuchaczy twierdzących, że zepsułam program. A włożyłam w to mnóstwo pracy!

Przez kilka dni przed tamtym pamiętnym piątkiem opracowywałam nowe wersje polskich piosenek znajdujących się w bieżącym notowaniu. Do każdej z nich dograłam efekty dźwiękowe. Kiedy artystka śpiewała o piciu kawy, było słychać uderzenia łyżeczki o filiżankę, siorbanie i cichy śmiech. Do piosenki Blendersów o lataniu dograłam odgłosy startującego odrzutowca, a słowom Kory z zespołu Maanam śpiewającej o tym, że się rozbiera, towarzyszyły westchnienia, okrzyki zdumienia, zachwytu lub rozczarowania tłumu ludzi. Przerobiłam w ten sposób wszystkie polskie piosenki. Oddźwięk wśród słuchaczy był mieszany – tak samo pozytywny, jak i negatywny – a Marek Niedźwiecki już nigdy nie poprosił, żebym go zastąpiła.

Nazywał mnie czasem na antenie „Latającą reporterką". Nie chodziło o to, że z magnetofonem biegam po mieście przygotowując relacje dźwiękowe, ale o to, że naprawdę odbyłam krótki lot – nad sceną podczas festiwalu piosenki w Sopocie.

Pojechaliśmy tam całą ekipą radiową. Ostatniego dnia rozpoczął się koncert największej gwiazdy festiwalu. W 1997 do Sopotu przyjechał Chuck Berry – legendarny twórca rock'n'rolla. Na początku koncertu uprzedzono publiczność, że obowiązuje zakaz zbliżania się do sceny, ale w pewnej chwili po zakończeniu kolejnej piosenki i wśród entuzjastycznych wiwatów, Chuck krzyknął ze sceny, że jeśli ktoś chce otrzymać jego autograf, może teraz do niego podejść.

Rzuciłam się biegiem wzdłuż rzędów foteli. Artysta sam przecież zaprosił do siebie chętnych! Wskoczyłam na scenę, zdążyłam podać Chuckowi kartkę i długopis, po czym została złapana w pół przez ochroniarza i wyrzucona przez niego w powietrze. Jak worek ziemniaków gruchnęłam o ziemię i straciłam na chwilę przytomność. Ktoś mi wtedy zrobił zdjęcie, które zostało zamieszczone w weekendowym dodatku do „Rzeczpospolitej" jako ilustracja ekscesów publiczności przychodzącej na rockowe koncerty, wszystko było też na żywo transmitowane w telewizji. Ocknęłam się siedząc na scenie u stóp Chucka Berry'ego, który jak gdyby nigdy nic wręczył mi kartkę ze swoim autografem. Mam go do dziś.

Płynął czas, zmieniali się ludzie i dyrektorowie. Pewnego dnia zadzwonił do mnie nowojorski korespondent dziennika „Rzeczpospolita", który zamierzał zorganizować wyprawę do Wenezueli. Miał sponsorów, plan i ekipę, brakowało mu tylko informacji dotyczących dżungli amazońskiej nad Orinoko. Przypadkiem wpadło mu w ręce czasopismo, w którym akurat opublikowano jeden z moich reportaży o Indianach Yanomami. Umówiliśmy się na spotkanie.

Byłam nad Orinoko już wtedy dwukrotnie, opowiedziałam mu więc do kogo należy się zwrócić, o czym pamiętać,

jak przygotować łódź do drogi, że musi mieć dwa silniki
o różnej mocy, że będzie potrzebował dobrych moskitier,
maczet i sprawdzonych przewodników, dałam mu telefon
i adres do moich zaprzyjaźnionych Indian i właściciela niewielkiego biura podróży w stolicy wenezuelskiej Amazonii,
Puerto Ayacucho. Wszystko pilnie notował, aż w końcu
powiedział

– Beata! Ty musisz pojechać z nami!

Wyruszyliśmy w lipcu 1998 roku, dokładnie wtedy, gdy
nad Orinoko zaczynała się pora deszczowa. Spędziliśmy
w dżungli dwa miesiące. Dotarliśmy do kilku osad Indian
Yanomami położonych głęboko w amazońskiej dżungli,
odkryliśmy dwa nieznane wcześniej i nie zaznaczone na żadnej mapie wodospady na rzece Siapa, nazwane przez nas
„Wodospadami Republiki".

Dopóki działał telefon satelitarny, nadawaliśmy regularne korespondencje do „Rzeczpospolitej" i Programu III.
Wtedy właśnie nadałam pierwsze w historii radia w Polsce
bezpośrednie relacje z serca amazońskiej dżungli. Potem
telefon zamilkł, nie dając znaku życia, ale my nie chcieliśmy
się wycofać i ruszyliśmy dalej w dżunglę, podczas gdy cały
świat myślał, że zostaliśmy porwani. Na pomoc wezwano
polską ambasadę w Caracas i uruchomiono całą gwardię
narodową Wenezueli stacjonującą w Amazonii.

Kilka tygodni później płynęliśmy spokojnie w stronę rzeki
Mavaca. Niepodziewanie zza zakrętu wyłonił się uzbrojony
patrol na wojskowej łodzi. Szukali właśnie nas! Zostaliśmy
wzięci do niewoli.

Żołnierze z karabinami nie odstępowali nas ani na krok. Wezwano lekarza, żeby nas zbadał i wydał zaświadczenie, że jesteśmy zdrowi i cali. A potem wsadzono nas do samolotu lecącego z powrotem do Caracas.

Po powrocie do Polski dowiedziałam się, że wszystkie audycje, które prowadziłam w radiu, zostały zdjęte z anteny, a ja zostanę zwolniona w ramach „redukcji etatów" – czyli jako osoba zbędna.

Poczułam, że zabrano mi coś najcenniejszego, co mam. Ze łzami w oczach wyszłam z radia.
Znów byłam sama, niepotrzebna i nie wiedziałam co dalej zrobić z moim życiem.

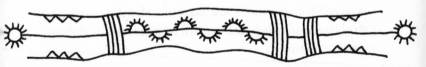

ROZDZIAŁ 11

Drugi krok

Nie pamiętam dokładnie dnia, w którym zrozumiałam, że największym swoim wrogiem jestem ja sama. Szkoda, bo powinnam go na złoto oznaczyć w kalendarzu.

Z dzieciństwa i młodości wyniosłam przekonanie, że o mojej wartości świadczy to, co mówią i myślą o mnie inni ludzie. I jeszcze coś – równie błędnego i fałszywego: że to oni powinni zapewnić mi szczęście.

To nie było świadome oczekiwanie na pochwały, pomoc czy opiekę. Nie zdawałam sobie w ogóle sprawy z tego, że taki jest mój sposób myślenia. Widzę to dopiero teraz – kiedy patrzę wstecz i oceniam przeszłość.

Byłam chyba najbardziej typową księżniczką, która czekała na księcia z bajki, który przybędzie na białym koniu, porwie ją i zrobi dla niej to wszystko, czego ona pragnie najbardziej. Oczywiście będzie czytał w jej myślach i nie będzie musiał pytać CO powinien zrobić, żeby ją uszczęśliwić. Będzie wiedział wszystko i poprowadzi ją dalej przez życie.

Kiedy dowiedziałam się, że nie mam już pracy w radiu, poczułam się bezdomna. Zostałam sama, opuszczona, wykopana za drzwi i z pustką w sercu.

Rosło we mnie poczucie niespełnienia i goryczy, rozczarowania i smutku – bo ja ciągle czekałam na kogoś, kto urządzi moje życie. Zamiast zrobić to sama.

Tak więc pewnego cudownego dnia zrozumiałam, że książę nie przybędzie. A ja albo do końca życia będę na niego czekać roniąc zrozpaczone łzy i roztkliwiając się nad swoim nieszczęściem, albo wezmę życie we własne ręce.

Łatwo powiedzieć. Ale jak mogę oddać moje własne życie w ręce kogoś, kto mnie nie szanuje i nie lubi?...

Nagle z niesamowitą siłą i wyrazistością dotarło do mnie to, że ja sama nie lubię siebie i nie mam dla siebie żadnej propozycji na przyszłość.

Wtedy nadszedł czas pytań, o których pisałam wcześniej. Pytań, które zadawałam sobie głośno i uparcie domagałam się odpowiedzi.

Dlaczego siebie nie lubisz?
Pustka w głowie, głupie miny, wzruszenie ramionami.
Dlaczego siebie nie lubisz? – powtarzam.

Bo... nie lubię. I już.

Czego nie lubisz w sobie?

Jest dużo takich rzeczy.

Nazwij je – po kolei, wymień wszystkie, a najlepiej zapisz je na kartce, żebyś nie zapomniała.

... – niezdecydowane milczenie.

Spróbujemy je zmienić.

To był drugi krok we właściwym kierunku. Ja sama zatroszczę się o siebie. Przecież tylko ja sama wiem co jest dla mnie naprawdę ważne, czego pragnę najbardziej, czego się wstydzę, za czym tęsknię!

Nie muszę już dłużej czekać! Nie muszę marnować swojego życia na smutne oczekiwanie na coś lub na kogoś, co się nie zdarza i kto nie przybywa!... Mogę zająć się naprawianiem wszystkiego, co jest w moim życiu zepsute i czego w sobie nie lubię! Mogę naprawdę natychmiast zacząć zmieniać wszystko na lepsze, na takie, jakie powinno być, o jakim zawsze marzyłam i za jakim tęskniłam!...

Ja sama mogę to zrobić!

Ach, niepotrzebnie zmarnowałam tyle lat! Szukałam prawdy i szczęścia wszędzie dookoła, w otaczających mnie ludziach, w niespodziewanych wydarzeniach, w zaćmieniach świadomości wywołanych środkami odurzającymi i używkami, w dalekich podróżach, w ciemności, w ucieczkach i powrotach, w piosenkach i wierszach, w namiętności, w przygodach, w pracy, w pieniądzach, w agresji, złości i buncie.

Nie muszę już dłużej czekać!
Nie muszę marnować życia
na smutne oczekiwanie na coś
lub na kogoś, co się nie zdarza
i kto nie przybywa!

Ale przez cały czas towarzyszyło mi poczucie dziwnej pustki, która była we mnie w środku, tej podstępnej samotności, która czasem rozlewała się we mnie jak ocean i dławiła wszystkie źródła radości.

Teraz wiem skąd się brała ta pustka i samotność, to poczucie, że wciąż okrutnie mi czegoś brakuje, że mimo wszystkich powodów do radości, żyje we mnie przeraźliwy smutek.

To dlatego, że byłam jak okręt pozbawiony steru, rzucany wiatrem po morzu. Czasem nad statkiem świeciło słońce i wtedy płynął spokojnie. Ale nigdy nie wiedział kiedy przyjdzie burza z piorunami i czy podczas jednej z nich nie zostanie zatopiony i zniknie z powierzchni oceanu na zawsze.

Długo spodziewałam się, że za sterem mojego życia stanie ktoś mądry i doświadczony. Ktokolwiek, kto mnie weźmie za rękę i poprowadzi – nauczyciel, idol, rodzice, narzeczony, starszy kolega albo koleżanka.

I coraz bardziej czułam się zagubiona, nie zdając sobie sprawy z tego, że jest tylko jedna osoba na świecie, która może zadbać o mój okręt: ja sama.

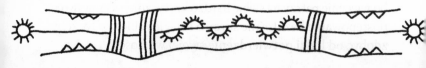

ROZDZIAŁ 12

Remont okrętu

Nie wiedziałam jak się zabrać za to moje „nowe życie". Popełniłam na początku wiele błędów, sprawdzając różne sposoby działania i myślenia. Ale teraz już wiem.

Pierwsza i najbardziej podstawowa sprawa to polubić i zacząć szanować samego siebie.

I to jest prosta sprawa, choć z pozoru może wyglądać skomplikowanie. Bo w gruncie rzeczy chodzi tylko oto, żeby kierować się życzliwością wobec siebie. I wtedy w naturalny sposób czuje się też życzliwość wobec innych.

Zwykle kiedy mówię o tym, że trzeba siebie kochać i lubić, ktoś prycha z oburzeniem, że to jest skrajny egoizm, wywyższanie się i pycha.

Ale tak mówi tylko ktoś, kto sam nie może siebie polubić, bo wiecznie patrzy na siebie bardzo krytycznie, ocenia swoje postępowanie bezlitośnie surowo i ciągle zabiega o to, żeby zdobyć od ludzi potwierdzenie swojej wartości.

Polubienie siebie nie oznacza, że zgadzam się mieć wszystkie moje wady i słabości.

Polubienie siebie oznacza, że lubię siebie zawsze, nawet wtedy kiedy nie jestem doskonała, kiedy zrobię coś głupiego, kiedy czuję się przegrana i słaba. Wciąż siebie lubię, a ponieważ lubię siebie jak najlepszego przyjaciela, wspieram siebie we wszystkich trudnych chwilach. I bardzo chcę zmienić się na lepsze.

Rozumiesz?

Akceptuję siebie taką, jaka jestem. Tak, akceptuję siebie niedoskonałą, czasem naiwną, niemądrą, popełniającą błędy. Akceptuję siebie w całości. Nie po to, żeby się wywyższać, ale po to, żeby dać sobie przyjaźń i wsparcie.

I wtedy – jako swój przyjaciel – chcę być lepszym człowiekiem. Chcę naprawić w sobie to, co uważam za złe. Pracuję nad swoim charakterem, siłą woli, nad tym, żeby myśleć pozytywnie i częściej się uśmiechać.

I to właśnie był dla mnie przełomowy moment.

Ja sama dałam sobie przyjaźń, której tak bardzo potrzebowałam. I wtedy – jako swój najlepszy przyjaciel – zaczęłam pracować nad moim charakterem. I dopiero wtedy nauczyłam się być silna i odważna.

I dlatego właśnie trzeba siebie najpierw polubić i zaakceptować.

Nie chodzi o to, żeby zakochać się w sobie jak Narcyz i wdzięczyć się do siebie przed lustrem. Nie chodzi też o to, żeby przymknąć oko na wszystkie słabości. Wprost przeciwnie.

Widzieć swoje wady i przyznać się do nich przed samą sobą. I wtedy zacząć je naprawiać.

Kiedy zrozumiałam, że moje życie jest w moich rękach i tylko ja mogę je najlepiej urządzić, zaczęłam się zastanawiać czy potrafię.

I wtedy odkryłam, że nie mam do siebie zaufania. Ale zaraz, czy to nie jest najbardziej bezsensowna rzecz na świecie?... Jestem samotna wśród sześciu miliardów ludzi na ziemi, nie mam żadnego przyjaciela i nie znam nikogo, komu mogłabym całkowicie zaufać. Nawet sobie.

Jak w takim razie mogę się spodziewać, że ktoś będzie miał zaufanie do mnie, jeżeli nawet ja sama uznaję, że to niemożliwe?...

I jak mogę oczekiwać, że ktoś mnie będzie lubił albo szanował, jeśli ja nie lubię i nie szanuję siebie?

Zaczęłam więc od zrobienia listy rzeczy, których nie lubię w sobie i które chciałabym zmienić. Nie było to łatwe ani przyjemne, bo trudno jest się przyznać do takich wstydliwych rzeczy jak lenistwo, brak wytrwałości, bezradność, uzależnienie od papierosów, narzekanie, marnowanie czasu, brak celu czy zazdrość.

I ponieważ człowiek instynktownie podchodzi do siebie z pewną pobłażliwością i nie tak obowiązkowo jak do drugiego człowieka, to postanowiłam traktować uporządkowanie mojego życia jak zadanie do spełnienia.

Spojrzałam na siebie jak na obcego człowieka, który przychodzi do mnie po pomoc.

Postanowiłam traktować
uporządkowanie mojego życia
jako zadanie do wypełnienia

– Słucham – powiedziałam do siebie – co mogę dla ciebie zrobić? Jaki jest twój problem?

I odpowiedziałam sobie zgodnie z prawdą:

– Jestem zagubiona. Nie wiem kim jestem, jest mnóstwo rzeczy, które chciałabym zmienić w moim życiu, ale nie wiem jak.

– Po kolei – doradziłam sobie. – Na pewno nie dasz rady zrobić wszystkiego na raz.

– To co mam zrobić?

– Weź kartkę. Napisz na niej wszystkie rzeczy, z których jesteś zadowolona i które w sobie lubisz. Bądź uczciwa. To rozmowa tylko pomiędzy tobą i mną, więc nie musisz niczego ukrywać ani udawać.

– A potem?

– A potem weź drugą kartkę i napisz na niej wszystko to, czego w sobie nie lubisz, co ci się nie podoba i co chciałabyś zmienić. Wszystko, nawet to, co ci wydaje niemożliwe do zmiany, tak jakbyś przygotowywała listę dla wróżki, która ma nadzwyczajną moc.

– A potem?

– Pamiętaj o tym, żeby obie kartki bardzo głęboko schować albo zawsze nosić przy sobie – tak żeby nikt nie mógł ich zobaczyć. I to jest dla ciebie pierwsza próba – obie kartki są *top secret*, ściśle tajne, nikt nie może się o nich dowiedzieć. Zaplanuj to tak, żeby móc spokojnie usiąść i zastanowić się nad sobą. Skoncentruj się i po raz pierwszy w życiu wyciągnij rękę do samej siebie.

Wyobraź sobie, że masz się spotkać z kimś, kto zna odpowiedzi na wszystkie twoje pytania i jest Największym Mędrcem Świata. Nie prosiłabyś go o spotkanie podczas przerwy między zajęciami albo kiedy już na nic innego nie masz ochoty ani siły, prawda? Chciałabyś wybrać takie miejsce i czas, kiedy będziesz mogła z tym Mędrcem spokojnie porozmawiać i zapytać go o wszystko, co cię nurtuje.

Znajdź więc właśnie takie miejsce i czas. Poczekaj aż wszyscy pójdą spać albo wstań wcześnie rano, kiedy wszyscy jeszcze śpią.

Spójrz na siebie jak na obiekt, który masz ocenić. Wypisz wszystkie zalety na jednej kartce, a wszystkie wady i rzeczy, które należy zmienić na drugiej kartce. I obie bardzo dobrze ukryj. Nie w kieszeni, które ktoś może opróżnić przed wrzuceniem spodni do prania. Nie w szufladzie, gdzie ktoś może zajrzeć. Nie luzem do zeszytu albo książki, skąd kartki mogą wypaść. Nie w torebce na szyi, która będzie przyciągała uwagę i którą ktoś z przekory, dla żartu albo ze złości może ci zabrać albo zerwać, żeby sprawdzić co jest w środku. Wybierz takie miejsce, gdzie nikt ich nie znajdzie i gdzie będziesz miała 100% pewności, że są bezpieczne.

– A potem?
– A potem przeczytaj następny rozdział w tej książce.

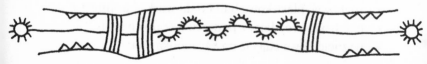

ROZDZIAŁ 13

Ustalanie priorytetu

Wypisałam na kartce wszystkie moje dobre cechy i sprawy, z których jestem zadowolona. Na drugiej kartce zrobiłam listę rzeczy, których nie lubię i których najchętniej w ogóle bym się pozbyła. I ręce mi opadły. Skakałam oczami z jednego punktu do następnego, zaczynałam myśleć jak się uporać z pierwszym, potem drugim, trzecim... Jak to wszystko na raz udźwignąć?... Nie dam rady!...

Popełniłam wtedy błąd, który nazywam „zatopieniem przez lawinę". To prosta zasada, która ma zastosowanie we wszystkich dziedzinach życia.

Wyobraź sobie, że masz zaplanować zajęcia na jedno popołudnie. Bierzesz długopis i piszesz na przykład:

- wyprać spodnie
- spakować plastikowe butelki do worka na śmieci
- przeczytać rozdział z podręcznika do chemii
- wrzucić nowe zdjęcie na Facebooka

- zamówić w Internecie nową płytę Stinga
- wyczyścić buty
- sprawdzić kurs dolara

O kurczę, tyle rzeczy do zrobienia. Czy ja zdążę? Która jest godzina? Już po czwartej, właściwie dochodzi piąta, gdzie ja mam to zdjęcie z plaży? Podobno plastikowe butelki można wrzucać do worka razem z makulaturą, jeden worek pewnie nie wystarczy, będę musiała jeszcze dzisiaj wystawić te worki obok kosza na śmieci, bo nie wiadomo o której przyjedzie śmieciarka, a właśnie, a gdzie jest mój aparat fotograficzny? Czy ja w ogóle zrzuciłam już te zdjęcia z plaży? A gdzie jest kabel? Dawno już nie widziałam tego kabla, rety, teraz jeszcze będę musiała szukać kabla, bo nie pamiętam gdzie go schowałam...

Stop. Zatrzymaj się. Zostałeś właśnie zatopiony. Tego popołudnia najprawdopodobniej nie zrobisz nic z tego, co było zaplanowane. To dlatego, że sam spuściłeś na siebie lawinę.

Wyobraź sobie, że każda z rzeczy do zrobienia to odważnik 100-ukilogramowy na sztandze. Dźwigacz jest w stanie podnieść 100 kg, ale na pewno nie szarpnie siedmiuset ani tysiąca. Nawet nie będzie próbował podejść do sztangi.

Albo wyobraź sobie, że każda rzecz do zrobienia to kula śniegu. Jeżeli spróbujesz podnieść je wszystkie razem, to prawdopodobnie spadną na ciebie w bezwładnej masie jak lawina, która cię przysypie i unieruchomi.

Tutaj trzeba zastosować **ustalanie priorytetu**. To jedno z moich ulubionych odkryć, jakich dokonałam w życiu.

Wyobraź sobie, że każda rzecz do zrobienia
to odważnik 100 kg na sztandze
Silacz jest w stanie podnieść 100 kg
ale na pewno nie szarpnie tysiąca

Poprzednio wiele razy ginęłam pod lawiną nie załatwionych spraw, nie napisanych i nie wysłanych listów, zaległości, które narastały w coraz gwałtowniejszym tempie. Aż wreszcie wymyśliłam prosty sposób, który pozwolił mi uporządkować moje życie i sprawy, które chciałam załatwić, ale zawsze brakowało mi na nie czasu.

Oto mój sposób na skuteczne działanie:

Zrób listę rzeczy do wykonania.

Przeczytaj je jeszcze raz, zastanów się i wybierz jedną rzecz do zrobienia w pierwszej kolejności.

Zapomnij o pozostałych, one nie istnieją.

Zajmij się wyłącznie wykonywaniem tego jednego wybranego zadania.

Kiedy skończysz, weź długopis i wykreśl ją z listy.

Jeśli zdecydujesz, że nie chcesz się nią dalej zajmować, określ dzień i godzinę kiedy znów do niej wrócisz.

Natychmiast poczujesz się lepiej.

Wtedy znów przeczytaj całą listę.

Wybierz jedną rzecz do zrobienia w pierwszej kolejności.

Zapomnij o innych rzeczach z listy.

Kiedy skończysz, wykreśl z listy kolejną rzecz, którą właśnie załatwiłeś lub wyznacz sobie dzień i godzinę, kiedy będziesz się nią znów zajmował.

W ten sposób w krótkim czasie udało ci się załatwić dwie rzeczy, które uznałeś za najpilniejsze. Nawet jeżeli ich nie skończyłeś, to nie ścigają cię ciężkie myśli i stres – bo wyznaczyłeś sobie dokładną datę, kiedy znów się im poświęcisz.

W dodatku lista zadań do spełnienia się zmniejszyła – a to daje poczucie tego, że posuwasz się do przodu. Masz kontrolę nad swoim życiem i swoim czasem. Nie musisz się śpieszyć. Jeżeli uczciwie podejdziesz do wypełnienia kolejnych zadań z kartki, pod koniec dnia będziesz miał poczucie dobrze spełnionego obowiązku i satysfakcji – nawet jeżeli nie uda ci się zrealizować wszystkiego.

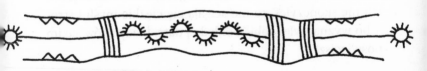

ROZDZIAŁ 14

Priorytet w życiu

Działanie z priorytetem dotyczy też większych rzeczy niż tylko bieżące sprawy do załatwienia.

Istnieje też priorytet życia.

Na początku lat dziewięćdziesiątych robiłam wiele innych różnych i ważnych rzeczy, które przynosiły mi radość i pieniądze: prowadziłam coraz więcej audycji w radiu, malowałam, podróżowałam, tłumaczyłam komiksy i listy dialogowe do filmów, spotykałam się z przyjaciółmi, studiowałam książki o antropologii, etnografii, przyrodzie i geografii.

Ale pod koniec każdego dnia myślałam, że dzisiaj znów nie napisałam ani słowa. I postanawiałam, że nadrobię to jutro. Następnego dnia pamiętałam o moim postanowieniu, ale od rana było tyle ważnych i nie cierpiących zwłoki rzeczy do załatwienia i zrobienia, że wolną chwilę miałam dopiero wieczorem, a wtedy byłam już zwykle tak zmęczona, że nie miałam siły napisać czegoś, z czego byłabym zadowolona.

Czasem tylko ta pisarska energia, która gromadziła się we mnie i nie mogła zostać na bieżąco wykorzystana, wypełniała mnie po brzegi i nagle zaczynała się przelewać. Wtedy rzucałam wszystko i oddawałam się natchnionemu pisaniu, podczas którego tworzyłam początek nowej książki albo zaczynałam jakieś opowiadanie, pisząc tak długo, aż starczyło mi sił. Dokończenie zostawiałam na następny dzień, ale oczywiście znów od rana „musiałam" zająć się różnymi sprawami, a kiedy wreszcie miałam trochę wolnego czasu, było już późno, a ja chciałam przede wszystkim odpocząć.

Tak właśnie wygląda życie osoby, która nie posiada priorytetu i zajmuje się pogonią za bieżącymi sprawami. Jednocześnie wewnątrz rośnie rozterka i wyrzut sumienia, który powraca coraz częściej i zamienia się w nieustanne poczucie winy, że „dzisiaj znów nie miałam czasu".

Pewnego dnia zatrzymałam się w biegu i znów zadałam sobie kilka ważnych pytań, na które postanowiłam sobie udzielić odpowiedzi.

– Co jest dla ciebie najważniejsze w życiu? Wybierz jedną rzecz, bez której nie wyobrażasz sobie dalej życia.
Długo się zastanawiałam i rozważałam w myślach ciężar wszystkiego, co jest dla mnie ważne. W końcu wybrałam.

– Jeżeli to jest dla ciebie najważniejsze, to tak musisz skonstruować swoje życie, żebyś na to zawsze miała czas.

Jeżeli to jest dla ciebie najważniejsze, to nie czekaj z tym do końca dnia, kiedy nie masz już siły ani ochoty na nic. Jeżeli uznajesz, że to jest dla ciebie najważniejsze i dzięki temu poczujesz się spełniony i szczęśliwy w życiu, to poświęć temu najwięcej czasu i energii – a wtedy osiągniesz rezultaty, z których będziesz mógł być dumny.

To proste – wybierz to, co jest dla ciebie najważniejsze i postaw to na pierwszym miejscu wśród wszystkich rzeczy i spraw do załatwienia. Nie daj się porwać spienionemu strumieniowi codziennych zajęć i pilnych oczekiwań innych ludzi. Żyjesz po to, żeby być pełnym i szczęśliwym człowiekiem, który nie cierpi z powodu wiecznej tęsknoty za rzeczami, którym pragnie się poświęcić, ale który pod koniec dnia jest zadowolony z efektów swojej pracy i ze swojego życia.

Ludzie, którzy ciągle odkładają „na jutro" zrobienie tego, na czym im naprawdę najbardziej im zależy, stają się niewolnikami własnego rozczarowania i rozgoryczenia. Bo im dłużej to trwa, tym trudniej spojrzeć potem wstecz i przyznać się, że ja sam własnymi rękami doprowadziłem do tego, że nie cieszy mnie moje życie.

A co może być ważniejszego od tego, żeby ułożyć swoje życie tak, żebyś był z niego zadowolony?...

To przecież wszystko, co masz na świecie – swoje życie i czas, żeby się w nim odnaleźć. Dlatego dobrze jest wiedzieć co jest dla mnie najważniejsze i poświęcić temu wystarczająco dużo czasu i energii. Mniej ważne rzeczy mogą poczekać „do jutra".

Ludzie, którzy ciągle odkładają
na jutro zrobienie tego, na czym
naprawdę im zależy,
stają się niewolnikami własnego
żalu i rozgoryczenia

ROZDZIAŁ 15

Jak wybrać priorytet życia

Zawsze najbardziej chciałam pisać książki i podróżować. Kiedy miałam około dwudziestu lat zajmowałam się prawie wyłącznie pisaniem. Kładłam się codziennie o 22.00, wstawałam o szóstej rano. Włączałam radio i malowałam do dziewiątej. Potem jadłam śniadanie, gasiłam radio i siadałam do maszyny do pisania. Tak, tak, komputerów jeszcze wtedy nie używano. Pisałam kolejne książki, planowałam wielkie wyprawy, malowałam dżunglę. Każda godzina nie poświęcona twórczości wydawała mi się stracona. Cała moja istota była nastawiona na tworzenie.

Po południu dawałam lekcje angielskiego. Uczniowie przychodzili do mnie do domu, a ja niecierpliwie czekałam aż skończą się cztery godziny lekcji i będę mogła wrócić do pisania. Podczas trwania lekcji poświęcałam moim uczniom całą uwagę i do dziś uważam, że pracować należy uczciwie, bo tylko taka praca daje satysfakcję i przynosi efekty, ale jednak cały mój organizm był tak skoncentrowany na pisaniu książki, że podświadomie czekałam na moment, kiedy znów będę mogła do niej wrócić.

Potem rytm mojego życia się zmienił, bo zaczęłam pracować w radiu. Stało się to przez przypadek, ale oczywiście nigdy nie wiadomo co jest przypadkiem, a co przeznaczeniem.

Podczas wakacji miałam mniej uczniów, a w radiu o jedenastej rano nadawano informacje dla turystów zagranicznych w trzech językach – po szwedzku, rosyjsku i angielsku. Pomyślałam:

– Hm! A może i ja mogłabym się zajmować czymś takim?

Znalazłam w książce telefonicznej numer do lokalnego radia, zadzwoniłam i powiedziałam, że znam angielski i mam teraz trochę wolnego czasu, więc może mogłabym się do czegoś przydać. Oczywiście chciałam to zrobić dla przyjemności i nie oczekiwałam żadnego honorarium.

Wyobrażacie sobie?

Przypadkowa dziewczyna dzwoni w czasie wakacji do radia. I ma tak niesamowite szczęście, że jej telefon odbiera nie sekretarka z masą rzeczy do załatwienia, tylko dziennikarz. I jeszcze w dodatku jest to dziennikarz na tyle sympatyczny i otwarty, że mówi do tej nieznanej dziewczyny:

– Dobrze, to niech pani przyjdzie na spotkanie z dyrektorem.

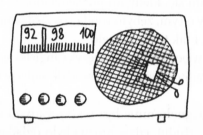

Radio wciągnęło mnie
bez reszty

I naprawdę umawia tę dziewczynę na spotkanie z dyrektorem radia!

Naprawdę!!!

Tym dziennikarzem był Andrzej Rudnik. Zaprowadził mnie do dyrektora Radia Koszalin. Powiedział, że przez telefon miałam miły głos, a dyrektor zapytał co chciałabym robić.

A ja na to:

– To może zrobię radiowy kurs języka angielskiego?

Zdumiałam się, kiedy mi powiedziano, że oczywiście nie ma mowy o tym, żebym robiła coś za darmo i dostanę honorarium. I tak to się zaczęło.

Zrobiłam więc radiowy kurs języka angielskiego, a potem zostałam w radiu i zaczęłam prowadzić audycje muzyczne.

Radio wciągnęło mnie bez reszty. Całymi godzinami siedziałam w studiu, gdzie można było oglądać telewizję satelitarną i nagrywałam nowe piosenki, szukałam ciekawostek ze świata i tematów do audycji. Wracałam do domu tak zmęczona, że nie miałam już ani czasu, ani siły na pisanie. Przestałam więc pisać.

Po sześciu miesiącach stwierdziłam, że radio jest jak narkotyk, który mnie za bardzo wciągnął i postanowiłam je rzucić. Chciałam przecież pisać książki, podróżować, tworzyć!

Wyraźnie widziałam, że w momencie kiedy poświęciłam się radiu, całkowicie zaniedbałam wszystkie inne moje pasje. Trudno więc. Muszę rzucić radio. I tak zrobiłam.

Bardzo szybko poczułam jego brak. To było to takie uczucie, jakby ktoś zabrał mi ważną część ciała. Wprawdzie nie umiałabym określić do czego była mi ona potrzebna, ale bardzo chciałam ją odzyskać. Na szczęście ówczesny dyrektor Radia Koszalin na odchodnym powiedział mi, że będzie na mnie czekał i że jeśli zmienię zdanie, zawsze będzie tu dla mnie miejsce. Zadzwoniłam do niego i byłam bardzo szczęśliwa, że mogę wrócić do radia. Był rok... chyba 1989. Od tamtego czasu radio jest bez przerwy obecne w moim życiu.

Kilka lat później taki sam przypadek zwany przeznaczeniem sprawił, że zaczęłam współpracować z telewizją – najpierw w programie muzycznym „Be-bop-a-lula", później w podróżniczym „Studiu Pogoda" i w programach przygodowych, takich jak „Zdobywcy", „Podróże z żartem" i „Zagadkowa blondynka".

A potem nagle odkryłam, że wystarczy iść za głosem swojego serca, żeby wszystko samo zaczęło się układać. Nie warto robić niczego na siłę. Ani dla zysku. Ani po to, żeby coś komuś udowodnić.

Warto robić coś dlatego, że czuje się do tego pasję, miłość, fascynację.

I tak właśnie zrobiłam.

Nie zastanawiałam się dokąd to mnie doprowadzi, nie kombinowałam czy istnieje taki zawód, który mogłabym wykonywać. Po prostu robiłam to, co mnie pasjonowało, co dawało mi poczucie spełnienia i niesamowitą radość.

I wtedy okazało się, że życie samo ułożyło dla mnie najlepszy możliwy scenariusz.

Trzy największe pasje mojego życia – podróże, pisanie książek i muzyka – po prostu splotły się w całość.

Teoretycznie nie mogłabym sobie tego tak fantastycznie zaplanować. Bo jak można prowadzić audycję w radiu będąc jednocześnie na końcu świata w indiańskiej wiosce nad Amazonką albo Ukajali?

Można.

Można nadawać bezpośrednie relacje albo nagrać audycje wcześniej. A po powrocie opowiadam w radiu o tym, co przeżyłam i piszę o tym książki.

Prawda, że to niesamowite?

A życie czasami podsuwało mi różne przeszkody, żeby sprawdzić jak bardzo potrafię być uczciwa w stosunku do samej siebie.

Na przykład wtedy, kiedy dostałam propozycję pracy w Radiu Zet. Ówczesny dyrektor tego radia, Robert Kozyra, uprzedził mnie na samym początku, że nie ma mowy o częstych wyjazdach i podróżach, bo praca w komercyjnej stacji trwa od września do czerwca „i nie ma zmiłuj". Przyjęłam te warunki – mimo że od lat regularnie wyruszałam na ekspedycje do Ameryki Łacińskiej w styczniu lub lutym.

Spędzałam tam zwykle kilka tygodni, wędrowałam po dziewiczej puszczy, pływałam czółnem po amazońskich rzekach, mieszkałam z Indianami w ich wioskach, uczyłam się od nich indiańskiej mądrości życia, nowej sztuki spokoju i cierpliwości, polowania, przyrządzania zatrutych strzał, robienia cziczy i wielu innych codziennych i niezwykłych spraw.

Minęły trzy miesiące. Cały mój organizm zaczął się domagać kolejnej wyprawy do dżungli. Za oknem szalały polskie śnieżyce, a ja czułam smak egzotycznych ekwadorskich ananasów i dotyk tropikalnego słońca na skórze. Miałam świadomość odpowiedzialności za własne słowa. Przyjęłam warunki, zgodziłam się na ograniczenie mojego podróżowania, ale... im bliżej było końca roku, tym gwałtowniej czułam, że nie mogę i nie chcę dotrzymać tej obietnicy.

Zastukałam do gabinetu dyrektora, usiadłam w fotelu naprzeciw i uczciwie opowiedziałam jak się czuję. Mówiłam chyba z pół godziny, szczerze, z głębi serca. Nawet chyba nie usiłowałam go przekonać. Ja po prostu opowiedziałam mu dlaczego tak bardzo lubię i chcę podróżować.

Robert Kozyra był uważany za surowego dyktatora. Rządził żelazną ręką, budził strach i raczej nie był uważany przez swoich pracowników za przyjaciela, któremu można się zwierzyć.

Byłam więc gotowa na każdą ewentualność. Ale głęboko w sercu wiedziałam, że chcę walczyć o moje marzenia. Nie ma dla mnie innej drogi. Nie zgodzę się na bolesny kompromis. Nie będę w stanie wyrzec się czegoś, co mnie tak pasjonuje, co daje mi tyle radości i przynosi mi tak niesamowite poczucie spełnienia. Nawet gdyby to oznaczało utratę pracy. Nie powiedziałam tego na głos, ale on chyba musiał to wyczytać z mojej twarzy.

Słuchał mnie w milczeniu, nie przerywając ani słowem, mimo że mówiłam długo i w natchnieniu. Kiedy skończyłam, zapadła cisza, a potem usłyszałam:

– Chciałem, żebyś pracowała w Radiu Zet dlatego, że jesteś, jaka jesteś. Jeżeli podróże to nieodłączna część twojego życia, to trudno. Jedź.

Wtedy stało się to, co wydawało mi się niemożliwe: mogłam jednocześnie być w dżungli amazońskiej i na antenie radia, nadając relacje przez telefon satelitarny.

Wtedy po raz pierwszy tak wyraźnie poczułam, że gorąca, szczera i uczciwa pasja to siła, która pozwala pokonać wszystkie przeszkody.

ROZDZIAŁ 16

Głos serca

Prowadziłam w radiu audycje muzyczne, zajmowałam się tłumaczeniami, a każdej zimy i wiosny spędzałam kilka tygodni w Ameryce Południowej. Nikt nie wiedział, że podróżuję, bo ja właściwie nigdzie i nikomu o tym nie opowiadałam. To było coś tylko mojego. Moja pasja, moje hobby, moja fascynacja.

Co rok tak samo: zbierałam grosz do grosika, oszczędzałam na jedzeniu, ubraniu i przyjemnościach po to, żeby odłożyć potrzebną sumę na bilet lotniczy. Nie pożyczałam, nie szukałam sponsora i nie brałam kredytu. Wiedziałam, że jeśli sama zarobię i sama uzbieram, to symbolicznie sama sobie zrobię prezent i wydam wszystkie pieniądze na to, czego najbardziej pragnę: jeszcze jedną wyprawę do dżungli amazońskiej.

I tak było co roku. Zbierałam pieniądze, a potem wyjeżdżałam, wydawałam wszystko i zaczynałam od zera. I miałam z tego niesamowitą radość.

Chyba po raz pierwszy w życiu robiłam dla siebie coś dobrego! Spełniałam swoje marzenia! Już nie pytałam czy mi wolno, tylko po prostu stawiałam przed sobą cel, a potem pakowałam plecak i wyruszałam w drogę.

Po ośmiu latach takiego podróżowania pomyślałam, że widziałam tak niezwykłe rzeczy, dotarłam do tak niezwykłych miejsc i przeżyłam tak niezwykłe przygody, że być może mogłabym o tym opowiedzieć. Wtedy napisałam pierwszą książkę podróżniczą, czyli „Blondynka w dżungli".

Ale co dalej?

Wcześniej wystarczało mi pisanie książek. Kończyłam jedną i zaczynałam następną. Wysyłałam je na konkursy literackie, ale nigdy jakoś nie zależało mi na tym, żeby te książki zostały wydane.
Tym razem było inaczej.

Jak się za to zabrać?
Nie wiedziałam kogo zapytać o radę, zrobiłam więc najbardziej logiczną rzecz, jaka przyszła mi do głowy. Poszłam do księgarni, obejrzałam książki, wybrałam wydawnictwo. Wysłałam do niego książkę z pytaniem czy są zainteresowani jej publikacją.
Nie są zainteresowani – odpowiedzieli po kilku tygodniach.

Wysłałam więc moją książkę do innego wydawnictwa. Ale oni odpisali, że ten rodzaj literatury nie leży w ich sferze zainteresowań.

Hm, trochę mnie to zniechęciło, ale pomyślałam, że właściwie nie mam nic do stracenia. Znajdę więc inne wydawnictwo i tam zapytam.

I tak zrobiłam.

Nie miałam specjalnie dużo wiary we własne umiejętności. Chciałam tylko podzielić się tym, co przeżyłam. I niespodziewanie moja książka została przyjęta! I niedługo potem wydana z moimi fotografiami i rysunkami! Byłam bardzo szczęśliwa.

Rok później opublikowano moją drugą książkę „Blondynka wśród łowców tęczy", a kilka miesięcy później wpadłam na szalony pomysł.

Ja, biedna dziewczyna z Koszalina, która zawsze była za gruba albo za chuda i nosiła wielkie szare swetry, żeby się w nich ukryć przed ludźmi, postanowiłam zastukać nieśmiało do bram pałacu.

W domu moich rodziców było kilka starych egzemplarzy oryginalnego, amerykańskiego wydania czasopisma *National Geographic*. Miały już tyle lat, że ich żółta ramka na okładce wyblakła prawie do białości. Przeglądałam je strona po stronie nie mogąc się nadziwić jak niezwykły jest świat i jak niesamowicie różni mieszkają w nim ludzie. Fascynowało mnie wyobrażanie sobie, że jestem w każdym miejscu, o którym czytam, czuję zapachy, patrzę na ludzi, próbuję jeść z nimi lokalne potrawy... Wyobrażałam to sobie tak mocno, że byłam w stanie poczuć te egzotyczne smaki i zapachy zanim jeszcze naprawdę zaczęłam podróżować. Pragnęłam tego na przekór wszystkim przeszkodom, jakie stały na mojej drodze. Nie miałam pieniędzy, nie miałam doświadczenia, nie miałam szansy, żeby wyrwać się z małego miasta. A jednak nie przestawałam marzyć.

A tak naprawdę – patrząc na to z dzisiejszej perspektywy – sama byłam dla siebie największą przeszkodą. Bo to ja nie dawałam sobie szansy. I ja nie dawałam sobie prawa do tego, żeby zająć się tym, co mnie najbardziej pasjonuje. Pieniądze są do zdobycia. Wystarczy uczciwie pracować i oszczędzać. Doświadczenia też można się nauczyć. Ale szansę trzeba dać samemu sobie.

I tak w końcu zrobiłam.

Wzięłam pod pachę moje dwie książki podróżnicze i czasopisma, gdzie opublikowano moje reportaże i fotografie. I poszłam na spotkanie z szefową działu książek polskiego wydania National Geographic.

– Czy jest jakiś ważny powód dlaczego polska edycja National Geographic nie wydaje książek polskich autorów? – zapytałam.

– Właściwie nie ma – odpowiedziała mi ówczesna pani dyrektor. – Dotychczas po prostu nie trafiliśmy na książkę, którą chcielibyśmy wydać.

– A czy w takim razie – zapytałam nieśmiało – zechciałaby pani przeczytać książkę, którą właśnie skończyłam pisać?

I tak właśnie moja książka „Blondynka śpiewa w Ukajali" stała się pierwszą książką polskiego autora wydaną z logo National Geographic. Od tamtej pory wszystkie moje książki podróżnicze ukazują się z legendarną żółtą ramką na okładce.

To niesamowite. To więcej niż kiedykolwiek miałabym odwagę wymarzyć.

Ale wiesz dlaczego tak jest?

Myślę, że istnieje tylko jedna możliwa odpowiedź.
Przez całe życie prowadziła mnie pasja do tego, co robię. Nie zgadzałam się robić niczego wbrew sobie ani „na pół gwizdka" – żeby coś odbębnić i kogoś zadowolić. Kiedy czułam, że narasta we mnie wewnętrzny sprzeciw i bunt, wolałam odejść i nie marnować swojej energii na przekonywanie siebie, że „powinnam", bo „tak należy".

Życie jest za krótkie, żeby marnować czas na coś, do czego nie mam pełnego przekonania. I co z tego, że wszyscy dookoła kończą studia, wychodzą za mąż, znajdują pracę i rodzą dzieci? Być może oni tego właśnie pragną.
Ale czego ja pragnę?
Czego ja pragnę dla siebie samej?

Myślę, że właśnie w tym miejscu zaczyna się szczęście.
Zaczyna się od odpowiedzi na pytanie:
– Co musiałoby się zdarzyć, żebym poczuła się spełniona i szczęśliwa?

A potem wystarczy iść za głosem swojego serca.
To wcale nie znaczy, że to będzie łatwa i szybka wędrówka. Serce też czasem może się pomylić. Ale nawet

jeżeli zaprowadzi cię gdzieś na pustynię, to na tej pustyni być może dopiero znajdziesz to, czego naprawdę szukałeś.

Tak właśnie zdarzyło się w moim życiu.

Szukałam szczęścia. Chciałam rozwijać moje zainteresowania. Chciałam po prostu czuć, że naprawdę żyję.

Kilka razy w życiu czułam, że siła tych marzeń nie jest czymś wirtualnym, istniejącym tylko w mojej duszy, ale jest prawdziwą energią, która posiada sprawczą moc.

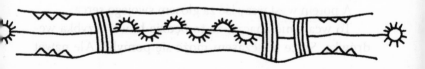

ROZDZIAŁ 17

Wazon w kosmosie z marzeniami[2]

Czasami mam wrażenie, że rzeczywistość to materia, która dąży do przybrania konkretnych kształtów. Tak jak gorący kisiel, który przybiera kształt naczynia, do którego go wlewasz.

Czasem wydaje mi się, że kiedy o czymś myślę, o czymś marzę, czegoś pragnę albo do czegoś dążę, to stwarzam w kosmosie takie wirtualne naczynie, do którego wpada kosmiczna energia i układa się zgodnie z nim.

To znaczy, że kiedy ja czegoś chcę na tyle mocno, żeby z moich myśli i pragnień utworzył się kosmiczny wazon, to potem moje marzenia podtrzymują jego istnienie, a on wciąga w siebie kosmos i w ten sposób marzenia się spełniają.

---

2) To jest rozdział, który napisałam do pierwszego wydania tej książki, ale wtedy zdecydowałam, że nie chcę go publikować.

Jest tylko jeden warunek. To czego pragniesz, musi być stuprocentowo uczciwe. Nie może być narzędziem do zdobycia sławy, pieniędzy albo podziwu. Nie może być wymyślone, wykombinowane albo takie samo, jak ma ktoś, do kogo chcesz się upodobnić.

To musi być tylko twoje.
Prawdziwe. Szczere. Dobre.
To musi być coś, czego pragniesz całym swoim sercem dla siebie samej. Coś takiego, czego pragniesz bardziej niż innych rzeczy lub spraw i wcale nie musisz wiedzieć dlaczego tak jest. Coś takiego, o czym marzysz i do czego uśmiechasz się przez sen. Coś takiego, co wydaje się być cząstką ciebie, a ty tylko musisz dokonać wysiłku, żeby tę cząstkę odzyskać i znów w sobie nosić.

To jest właśnie czyste pragnienie.
Nie szukaj go.
Ono już jest w tobie. Naucz się tylko to pragnienie słyszeć.

Zauważyłam jeszcze coś:
Wydaje mi się, że energia wszechświata dąży do tego, żeby „spełnić swoje zadanie".

To znaczy, że jeżeli ja stworzyłam wazon w kosmosie, to wszechświat dąży do tego, żeby ten wazon wypełnić energią. W momencie gdy to uczyni, wazon znika. Razem z energią, która go tworzyła.

Pozostaje wtedy jego odbicie w rzeczywistości.
Jeżeli marzyłam o tym, żeby wyjechać do Afryki, to wazon zostanie spełniony w momencie kiedy wyląduję w Afryce. Wtedy wazon zniknie, bo nie jest już potrzebny.

Ale jest jeszcze coś:

Zauważyłam, że wazon znika wtedy, kiedy ja wyślę w kosmos informację o tym, że jest wypełniony.

Jeżeli marzę o podróży do Afryki i opowiadam o tym ludziom, mówię co będę tam robić, jak będę podróżować, to gdzieś w kosmosie zostaje odebrany sygnał o tym, że „to już się stało". I nawet jeżeli wazon jeszcze nie jest pełny, to znika.

Dlatego nie opowiadam na głos o swoich marzeniach. Ja je spełniam.

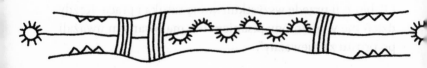

ROZDZIAŁ 18

Bohaterowie świata

Pewnego pięknego dnia zrozumiałam, że wszyscy wielcy bohaterowie świata byli kiedyś zwykłymi chłopakami albo dziewczynami ze zwykłych rodzin.

Jesienią wiatr targał ich za włosy, a zimą marzły im nogi w butach. Czasem głupio wychodzili na zdjęciach, mieli chwile zwątpienia, szukali swojego przeznaczenia po omacku.

W głębi duszy chyba zawsze o tym wiedziałam i być może dlatego najchętniej czytałam biografie słynnych ludzi: królowej Marii Antoniny, Alberta Einsteina, Pabla Picasso, jego przyjaciółki amerykańskiej pisarki Gertrudy Stein, która w „Autobiografii Alicji B. Toklas" napisała to, co sama od dawna czułam już bardzo głęboko: „Gertruda i Pablo żyli przede wszystkim swoją sztuką i pracą. Każdy dzień nie wypełniony pisaniem lub malowaniem uważali po prostu za nieważny".

Byłam pod wrażeniem biografii Henryka Schliemanna – odkrywcy starożytnej Troi, który był amatorem i samoukiem, czyli Kopciuszkiem – tak samo jak ja. Miał pasję i ogromną ciekawość świata. Sam szukał odpowiedzi, jakich naukowcy jeszcze nie zdążyli odkryć i sformułować. A świat nauki go wyśmiewał. Poważni badacze pogardzali takim niewykształconym gościem jak on, który pojawia się znikąd i jest na tyle bezczelny, że ogłasza swoje pomysły i odkrycia.

A on robił swoje. Starał się nie przejmować obelgami. Nie miał dyplomów ani stopni naukowych, ale miał pasję i lubił się uczyć. Wcale więc nie ustępował poziomem wiedzy historykom specjalizującym się w starożytnej Troi. Brakowało mu tylko dyplomów i tytułów naukowych przed nazwiskiem.

I to on ostatecznie miał rację. On znalazł miejsce, gdzie znajdowało się to starożytne miasto.

Był pozytywnym bohaterem. Chłopakiem znikąd. Wyśmiewanym, ignorowanym i obrażanym przez licencjonowanych znawców tematu. Jego praca budziła ich lęk i poczucie zagrożenia. Usiłowali go uciszyć, odebrać mu pewność siebie i zapał do pracy, ale on okazał się silniejszy. I dlatego wygrał.

Wszyscy jesteśmy tacy sami.

Nikt nie przychodzi na świat jako gotowy mistrz rajdów samochodowych czy genialny malarz. Każdy ma swoją drogę do odnalezienia, a najlepsze co możesz zrobić, to wsłuchać się w swój wewnętrzny głos i zapomnieć o reszcie świata.

Taka głęboka pasja to właśnie „priorytet w życiu".

To jest to, co jest dla ciebie najważniejsze.

To jest coś takiego, bez czego nie wyobrażasz sobie dalszego życia.

Jedna rzecz, która nawet gdyby była jedyna gdy wszystkie inne znikną albo zostaną ci zabrane, wciąż będzie cię cieszyć.

Nie szukaj niczego na siłę.

Nie przymierzaj się do tego, co robią ludzie, których podziwiasz.

Pytaj swojego serca. Tam znajdziesz wszystkie odpowiedzi.

Bądź otwarta i ciekawa świata.

Ucz się.

Myśl pozytywnie.

Bądź dla siebie przyjacielem – wtedy usłyszysz wszystko, co twoja dusza ma ci do powiedzenia.

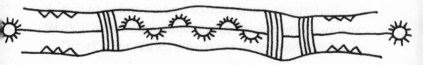

ROZDZIAŁ 19

Sięganie po marzenia

Zauważyłam, że czasem ludzie wyznaczają sobie do osiągnięcia bardzo odległy cel. Taki, który jest trudny do zrealizowania, wymaga szczególnych umiejętności, specjalistycznego sprzętu, znajomości wyrafinowanych technik albo znalezienia się w odpowiednim miejscu we właściwym czasie i w otoczeniu wyjątkowych osób.

Myślę, że to jest trochę oszukiwanie samego siebie.

Jeżeli wyznaczasz sobie cel, który jest praktycznie niemożliwy do zrealizowania, to skazujesz siebie na żal i rozczarowanie.

A wiesz dlaczego tak robisz?

Bo tak naprawdę pewnie boisz się zrobić cokolwiek ze swoim życiem. Chciałabyś, ale jednocześnie głos w środku podpowiada, że to i tak nie może się udać, bo takie rzeczy udają się innym, lepszym od ciebie. A ty jesteś tylko szarą myszką, której zawsze ktoś mówi co ma robić dalej.

Ja też tak kiedyś myślałam.
Byłam taką właśnie szarą myszką, która chlipała w kącie nad swoim ciężkim losem.
A wiesz co zrozumiałam pewnego pięknego dnia?

Do diabła z chlipaniem! Do diabła z czekaniem!
Ja chcę żyć!!!!!!!!!!!!!!!!!!!!!!!!
Ja chcę żyć już teraz!!!!!!!!!!!!!!!!!!!!!!!!!!!!!!!!
Z tego, co o sobie myślisz, tworzy się cała twoja przyszłość.
To, co myślisz o sobie i o swoim życiu teraz, będzie twoim jutrem.

Nie musisz od razu znać wszystkich odpowiedzi na wszystkie ważne pytania. Nie musisz nawet wiedzieć co jest twoją największą pasją.
Wystarczy jeśli będziesz uczciwa.
Nie porównuj się z innymi. Nie ścigaj się. Nie szukaj sławy.
Bądź dla siebie przyjacielem.
Dopiero wtedy znajdziesz to, czego szukasz.

Pamiętam pewnego Marcina.
Wyznaczył sobie daleki i trudny cel. Marzył o tym, że zostanie kimś takim jak Steve Jobs – słynnym, nowatorskim wizjonerem i programistą.
Na szczęście Marcin miał na tyle rozumu, że pozytywnie i racjonalnie podchodził do swojego życia. Nie upierał się, że musi koniecznie osiągnąć swój cel natychmiast. Wiedział, że czekają go lata pracy.

Nie postawił wszystkiego na jedną kartę, nie wyjechał do Ameryki, żeby tam poznać ludzi albo firmy, które dałyby mu szansę zaistnieć. Został w Polsce i zajmował się bieżącymi sprawami – studiował, pracował, założył rodzinę, zbudował dom. Przez cały czas marzył o tym, że w końcu kiedyś uda mu się zrealizować to największe marzenie i osiągnąć wyznaczony cel.

Na razie poświęcał się mniejszym pasjom. Zaczął fotografować ptaki. Zawsze go to fascynowało. Był gotów wstać o drugiej nad ranem, żeby dojechać przed świtem do jeziora ukrytego w lesie, a potem brodził w błocie w oczekiwaniu na ptaki. Szukał najlepszego sprzętu, czytał książki o fotografowaniu, oglądał zdjęcia innych fotografów, żeby zrozumieć na czym polega sekret dobrej fotografii.

Godzinami zgłębiał tajniki operowania światłem i przysłoną, robił eksperymenty, powtarzał to samo ujęcie o różnych porach dnia.

Kilometrami wędrował w poszukiwaniu czyżyka i perkoza. Godzinami czekał pod drzewem na pojawienie się sowy.

Pewnego dnia wysłał swoje zdjęcia na konkurs fotograficzny i nagle okazało się, że jest mistrzem. A osiągnięcie tego mistrzostwa przyszło mu właściwie bez trudu. On tylko robił to, co go fascynowało. Sprawiało mu to radość, chciał robić to coraz lepiej i chętnie przeznaczał na to czas w dzień wolny od pracy.

Rozumiesz?

Marcin przez przypadek odkrył to, co było jego prawdziwą największą pasją. On tak naprawdę wcale nie chciał być drugim Stevem Jobsem. Steve Jobs był tylko jeden. A to,

Człowiek sam raczej nie wpadłby na pomysł, że jego powołaniem jest fotografowanie bocianów

co naprawdę najbardziej kręciło go w życiu, to podglądanie i fotografowanie ptaków w ich naturalnym otoczeniu.

To była jego najprawdziwsza pasja skryta głęboko w sercu. A on tylko pozwolił, żeby ta pasja poprowadziła go przez życie.

Niezależnie od tego co myślisz o sobie i co uważasz, że jest dla ciebie idealne, masz też w swojej duszy takie miejsce, gdzie wolno i swobodnie hasa twoje przeznaczenie. I to ono znajduje dla ciebie to, co jest naprawdę najlepsze.

Marcin pewnie nigdy w życiu nie wpadłby na pomysł, że jego największym talentem i powołaniem jest fotografowanie bocianów. Życie samo przyniosło mu to rozwiązanie, podczas gdy on postanowił podążać przez życie w zupełnie innym kierunku.

Znam też pewnego Bartosza, który wymyślił sobie, że jego celem w życiu i największym marzeniem jest pojechać na wojnę jako reporter. Aktywnie poszukiwał sposobów, żeby to marzenie zrealizować.

Jednocześnie, jakby od niechcenia, kontynuował także inną swoją pasję: fotografowanie dzikiej przyrody i sztukę survivalu. Po latach spojrzał za siebie i zrozumiał, że reporterska wyprawa na wojnę jest wciąż tak samo odległa, jak była na początku.

Tymczasem w archiwum zgromadził setki zdjęć przyrodniczych, założył firmę organizującą obozy survivalowe i po prostu nagle odkrył, że ta mniejsza i niedoceniana przez niego pasja jest jego prawdziwym powołaniem.

Rozumiesz?

Wystarczy być otwartym na to, co się dzieje.
Nie upieraj się, że musi być tak jak ty chcesz.
Pozwól, żeby życie podało ci rękę i poprowadziło cię za sobą.
Bądź aktywna.
Czytaj, interesuj się, ucz się języków obcych.
Szukaj inspiracji.

Kiedy aktywnie używasz swojego umysłu, twoja podświadomość chętnie zacznie ci pomagać. I to ona – być może w połączeniu z nieznanymi nam siłami kosmosu lub przeznaczeniem – znajdzie dla ciebie najbardziej idealny cel, doskonale przystosowany do twoich talentów, podświadomych oczekiwań i umiejętności.

Nie żądaj.
Uśmiechnij się.
I wsłuchaj się w siebie.

ROZDZIAŁ 20

Pytania i odpowiedzi

Nauczyłam się prowadzić ze sobą dialog, rozmawiać ze sobą, tak jakbym zadawała pytania obcej osobie i dowiadywała się od niej zupełnie nowych rzeczy.

Wtedy odkryłam coś niezwykłego. Zauważyłam, że człowiek zaczyna udzielać odpowiedzi dopiero wtedy, kiedy zostanie przed nim postawione konkretne pytanie. I dopiero wtedy uruchamia się w nim mechanizm poszukiwania rozwiązania.

Rozumiesz?
To dotyczy też rozmawiania z samym sobą.

Jeżeli nigdy nie zadałeś sobie na głos żadnego ważnego pytania, to nie mogłeś dostać odpowiedzi. Bo ludzie rzadko pytają samych siebie – nawet jeżeli to co chcą wiedzieć, łączy się bezpośrednio z ich życiem, marzeniami, przyszłością.

Być może dzieje się tak dlatego, że nie mają wystarczająco dużo wiary we własne siły. Ale być może brakuje im tej wiary dlatego, że nigdy jej w sobie nie szukali.

I to było niesamowite.

Wyobraziłam sobie, że przychodzi do mnie ktoś beznadziejnie zagubiony. Jestem jedynym człowiekiem, który rozumie jego język. Chcę mu pomóc.

Zaczynam od pytania:

– Jaki jest twój problem? Wyjaśnij mi go. Wytłumacz mi dlaczego czujesz się smutna albo nieszczęśliwa.

Czy próbowałeś kiedykolwiek zrobić coś takiego?

Zadać sobie takie pytanie?

I odpowiedzieć na to pytanie samemu sobie? Odpowiedzieć na głos – tak jakbyś naprawdę usiłował to komuś wytłumaczyć.

Czy wiesz, że kiedy wypowiesz to słowami, kiedy nazwiesz swoje uczucia, nagle zrozumiesz o co w nich chodzi i będziesz wiedział co powinieneś dalej zrobić?

Naprawdę.

Jedyny twój problem polega na tym, że nigdy ze sobą tak naprawdę szczerze nie pogadałeś.

Kiedyś poznałam chłopaka, który miał na imię Włodek i był zakonnikiem. Miał dwadzieścia kilka lat, spotkaliśmy się na jakimś obozie czy może na warsztatach Korespondencyjnego Klubu Młodych Pisarzy, nie pamiętam.

Pewnego wieczoru zostaliśmy sami i Włodek zaczął mi opowiadać o swoim życiu. O tym, że nigdy nie był sobą, że zawsze robił to, co przewidzieli dla niego rodzice. Był moim rówieśnikiem, ale dzielił nas ogromny kosmos doświadczeń i przeszłości. Pamiętam, że pochodził ze wsi gdzieś w górach, miał duże, twarde, kwadratowe ręce, którymi niezgrabnie odgarniał jasne włosy z czoła.

Długo rozmawialiśmy. Nie mogłam uwierzyć w to, że nie miał w życiu żadnego wyboru i że nigdy się nie zbuntował. Zaczęłam go przekonywać, że to nie jest dobra droga, że nie powinien robić tego, do czego nie czuje powołania, że powinien znaleźć w życiu jakąś drogę dla siebie, coś, czemu będzie pragnął się poświęcić.

Ale on smutno kręcił głową i mówił, że teraz jest już za późno.

– Jak może być za późno?!... – pytałam. – Jak możesz świadomie decydować się na to, że do końca życia będziesz robił coś, czego nie chcesz robić?!

– Teraz już nie mogę zawieść ich zaufania – powiedział w końcu.

Myślę, że się bał.

Po kilku godzinach powiedział mi też, że nigdy w życiu nie chodził z żadną dziewczyną. Nigdy nikogo nie pocałował i nigdy...

Wstrzymałam oddech.

A on nieśmiało zapytał czy mógłby mnie potrzymać za rękę, bo nigdy nie trzymał za rękę żadnej dziewczyny, a zawsze o tym marzył.

Podałam mu rękę, a on wziął ją między swoje wielkie dłonie i delikatnie dotknął. I siedzieliśmy tak jeszcze przez jakiś czas w milczeniu.

Nigdy więcej go nie spotkałam.

Czasem myślę, że każda rzecz, jaką człowiek robi w życiu, każda myśl i każde zdarzenie wywołuje ciąg dalszy i jest ogniwem w długim łańcuchu, który kołysze się na wietrze historii.

I często takie małe elementy, które wydają się niewiele znaczącymi epizodami, zaczynają obrastać w słowa, myśli i wydarzenia, czasem po wielu latach wracają i dopiero wtedy widać, że pełniły rolę źródła lub przeznaczenia, które przyprowadziło nas aż tutaj, do tego momentu w teraźniejszości.

Nigdy nie wiadomo jakiego znaczenia może nabrać jakaś sprawa lub rzecz, dlatego każdą warto jest robić dobrze i z pełnym zaangażowaniem.

Kiedy rozmawiałam z Włodkiem, stałam się dla niego Mędrcem, który udziela odpowiedzi na trudne pytania. Pytał o to, co ma robić dalej, mówił mi jak się czuje, czego się boi, z czym jest mu trudno.

A ja uruchomiłam w sobie wszystkie myśli, cały umysł, żeby zrozumieć jego sytuację i próbować mu pomóc, podpowiedzieć, doradzić. Przez wiele godzin słuchałam, wyjaśniałam, tłumaczyłam, namawiałam. Bardzo zależało mi na tym, żeby w końcu odnalazł szczęście.

To dziwne, ale nigdy nie włożyłam tyle samo wysiłku w znalezienie odpowiedzi na pytania dotyczące mojego własnego życia.

Nigdy nie opowiedziałam samej sobie jak się czuję, co mi przeszkadza, co mnie boli, czego się boję, czego pragnę. Próbowałam te pytania kierować do różnych ludzi — do księży, nauczycieli, rodziców, przyjaciół.

Ale nikt nie potrafił mi odpowiedzieć. Bo nikt tak naprawdę nie mógł mnie zrozumieć. A ja wolałam prosić o pomoc innych ludzi zamiast włożyć trochę wysiłku w to, żeby samej poszukać prawdy. W sobie.

Rozumiesz?

Każdy z nas jest Mędrcem, który zna odpowiedzi na najważniejsze pytania dotyczące własnego życia. Ale rzadko kto zadaje sobie pytania, żeby się tego dowiedzieć. I tylko dlatego czuje się zagubiony. Nie dlatego, że brak mu odpowiedzi, ale dlatego, że brak mu pytań. Bo odpowiedzi nosi w sobie.

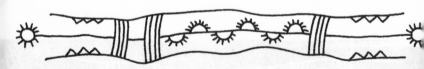

Każdy z nas jest Mędrcem,
który zna odpowiedzi na najważniejsze
pytania dotyczące własnego życia
Ale rzadko kto zadaje sobie pytania,
żeby się tego dowiedzieć

ROZDZIAŁ 21

Jak rozmawiać

Znam łatwy sposób, żeby stwierdzić co jest dla ciebie najważniejsze w życiu. Wyobraź sobie, że to tracisz, że to staje się niemożliwe, że ktoś ci tego zabrania. Jeżeli na samą myśl oczy rozszerzają ci z przerażenia, a serce się dławi, to miałeś rację. To rzeczywiście jest najważniejsze.

Ludzie łatwo dają się oszukać. Na świecie jest tak dużo towarów do wyboru, że nie wiadomo czym się kierować. Niby jest mnóstwo książek w księgarni, ale nie wiadomo jak znaleźć książkę, która okaże się mądra i ciekawa. Tak samo jest z wyborem zawodu, pracy czy hobby.

W szkole podstawowej marzyłam o tym, żeby zostać aktorką. Ale dlaczego? Bo aktorki są piękne, sławne i podziwiane. Nie zastanowiłam się na czym tak naprawdę miałaby polegać moja „praca", jakie konkretnie czynności miałabym do wykonania, chciałam tylko kąpać się w blasku reflektorów i czuć się piękna.

Nie warto marnować sobie życia
dla wywołania czyjejś zazdrości
ani układać swojego życia
  dla innych

Zadając sobie wtedy pytanie o moją przyszłość, rozglądałam się dookoła i porównywałam się do innych ludzi – zamiast zajrzeć w głąb, do wnętrza mojej duszy i sprawdzić co w niej gra.

Bo naprawdę nie ma sensu zajmować się czymś, co jest modne i robi wrażenie na innych ludziach. Nie warto marnować sobie życia dla wywołania czyjejś zazdrości ani układać swojego życia dla innych. Nie jest ważne to, czy ktoś będzie mnie podziwiał, czy będzie chciał być moim przyjacielem.

Najważniejsze jest to, żeby najpierw być szczerym i uczciwym wobec siebie samego. Wtedy będziesz uczciwy i szczery także wobec innych ludzi. Więc jeśli zaczniesz sobie zadawać ważne pytania, udzielaj sobie uczciwej odpowiedzi.

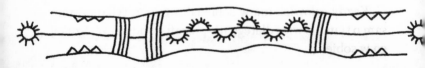

ROZDZIAŁ 22

Czy ja mam talent

Bardzo długo żyłam w przekonaniu, że nie potrafię robić wielu rzeczy. Uwierzyłam ludziom z mojego otoczenia, którzy przypisywali konkretne talenty czy umiejętności poszczególnym osobom. Słyszałam więc, że talent plastyczny ma moja siostra, gwiazdą matematyki jest Jola, mistrzem sportu jest Romek – i rosło we mnie dziwne przekonanie, że w takim razie oni są lepsi ode mnie, a ja jestem gorsza.

Dlatego wycofałam się, schowałam się w sobie, bo uznałam, że jeżeli o mnie nikt nie mówi, że jestem wybitna w jakiejś dziedzinie, to znaczy, że nie mam żadnego talentu. Ale to nieprawda.

Każdy człowiek ma w sobie jakiś talent, tylko czasem sam o tym nie wie i dlatego nie potrafi go odnaleźć. Szukaj go w sobie.

Nikt nie rodzi się jako gotowy mistrz,
który wie i potrafi wszystko
Talent to otwarte drzwi,
przez które możesz wejść dalej w życie

Nie szukaj swoich umiejętności w opinii innych ludzi na twój temat, bo skąd oni mogą wiedzieć jak jest naprawdę? Nie są w stanie zajrzeć do twojej duszy i stwierdzić co się w niej kryje. Tylko ty sam możesz to zrobić. Szukaj więc w sobie.

Odkryj jaki masz talent, do czego masz żyłkę, w czym czujesz się najlepiej, w czym chciałbyś zostać mistrzem świata. Pracuj nad tym talentem, rozwijaj się, ćwicz, ucz się robić to jeszcze lepiej. Prześcigniesz wszystkich.

Talent to pasja. Jeśli dodasz do niego równie żarliwą naukę i pracę nad tym, żeby zgłębić, poznać i opanować tajniki zajęcia, do którego masz talent, to osiągniesz sukces.

Każdy ma taką szansę. Ale niewielu ludzi zdaje sobie z tego sprawę.

Znam pewnego Seweryna, który zawsze z łatwością układał rymowanki. Ma do tego talent. Pracuje w zawodzie zupełnie nie związanym z pisaniem, wierszami czy rymowaniem. Na co dzień dojeżdża do pracy pociągiem. I w każdej wolnej chwili – na dworcu, w pociągu, podczas przerwy w pracy – chwyta za kartkę i pisze nowe wiersze. Po prostu. Takie hobby.

Po kilku latach zaczął się dzielić tymi rymowankami z innymi ludźmi i nagle ktoś powiedział:
– Jakie to świetne wierszyki dla dzieci! Chcielibyśmy, żeby ten pan pracował dla nas!

Seweryn ma talent i ponieważ z pasją nad nim pracował, doszedł do wprawy. Poświęcał mu każdą wolną chwilę swojego życia, nie licząc na nagrody ani korzyści. I tak został mistrzem. Teraz może żyć ze swojego talentu.

Nikt nie rodzi się jako gotowy mistrz, który wie i potrafi wszystko.

Talent to tylko początek drogi – to otwarte drzwi, przez które możesz wejść dalej w życie. Żeby zostać mistrzem, potrzeba wprawy, praktyki i ćwiczeń.

Nie zmarnuj swojego talentu. Pracuj nad nim, rozwijaj go – a może zdarzy się tak, że twoja pasja i twój talent staną się twoim zawodem i będziesz zarabiał pieniądze robiąc to, co kochasz najbardziej. Wtedy twoje hobby będzie twoją pracą i odwrotnie, a ty będziesz mógł zawsze w życiu zajmować się tym, co najbardziej lubisz.

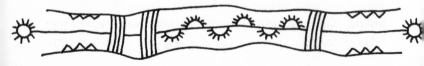

ROZDZIAŁ 23

Bądź siłaczem

Wracam do mojej rozmowy ze sobą.

Napisałam na kartce listę rzeczy, których nie lubię w sobie i których najchętniej chciałabym się pozbyć na zawsze. Wyobraziłam sobie, że przyjdzie do mnie Czarodziej, który ma moc naprawienia wszystkiego, co mu wskażę.

Nie próbowałam więc oszukiwać, tylko uczciwie aż do bólu wypisałam wszystko, czego się wstydzę, czego w sobie nie lubię i co chcę zmienić. Wszystko, nawet to, co moim zdaniem nie było możliwe do wymiany.

Po jakimś czasie spojrzałam na tę kartkę i załamałam się.

Z jednej strony czułam, że dobrze jest być szczerym wobec samego siebie, ale z drugiej strony ta szczerość bolała. Nigdy wcześniej nie nazwałam moich wad i nie zdawałam sobie sprawy z tego, że jest ich tak dużo. Jasno też zrozumiałam, że wiele z nich wynika z mojej złej woli. Robiłam coś wiedząc, że to jest złe, ale jednak nie mogłam (czyli nie chciałam) postąpić inaczej.

I właściwie wtedy po raz pierwszy zapaliło mi się w głowie światełko z pytaniem:

– To dlaczego właściwie to robisz, jeśli potem uważasz, że to było złe?... Dlaczego nie zastanowiłaś się ZANIM to zrobiłaś?

Musiało jeszcze minąć sporo czasu zanim dojrzałam do odpowiedzi i na to pytanie. Ale coraz częściej i z coraz większą wyrazistością docierał do mnie pewien zastanawiający fakt:

Umiałam pouczać innych ludzi. Potrafiłam być w stosunku do nich surowa i mówić im co zrobili źle i dlaczego nie powinni byli tego robić, uświadamiać im jakie ten czyn będzie miał konsekwencje w przyszłości i dlaczego sami są sobie winni.

Ale nigdy nie stosowałam tego samego sposobu myślenia wobec siebie.

Ale właściwie dlaczego nie?

Chyba tylko dlatego, że zwykle dzieje się tak jak w przysłowiu, że człowiek widzi trawkę w oku bliźniego, a nie dostrzega belki we własnym oku.

Albo – jak mawiają mieszkańcy Tajlandii – łatwiej zobaczyć wesz na głowie sąsiada niż słonia na swojej własnej.

Prawda?

I jeszcze jedno.

Kiedy ktoś przychodzi ze skargą albo żeby się wypłakać, łatwo jest przyjąć pozycję silniejszego doradcy, który wszystko wie. A nawet jeśli nie wie, to i tak udaje, że wie i próbuje znaleźć rozwiązanie. A kiedy intensywnie szuka jakiegoś rozwiązania, to bardzo często je znajduje.

I tylko tym różni się płacząca Ofiara od samodzielnego Siłacza:
Ofiara załamuje ręce, zalewa się łzami i szuka pomocy.
Siłacz zaciska pięści i sam szuka rozwiązania dla siebie i dla innych.

A wiesz co jest w tym najbardziej niesamowite?
To, że każdy tak samo łatwo może być ofiarą, jak siłaczem.

To tylko kwestia wyboru.

Jestem o tym przekonana.
Przypomnij sobie czy nigdy nie pełniłeś wobec kogoś roli Siłacza, który doradzał, ocierał łzy i pocieszał?...

Na pewno tak. Zostałeś w tamtym momencie Siłaczem tylko dlatego, że ta druga osoba była Ofiarą, która szukała u ciebie pomocy. W takiej sytuacji człowiek instynktownie przyjmuje rolę starszego brata i pocieszyciela, doradcy i mędrca.

To znaczy, że każdy z nas potrafi być Siłaczem, ale rzadko korzysta z tej umiejętności. Zwykle łatwiej jest poddać się, zamienić w Ofiarę i szukać pomocy u innych.

Ja też kiedyś tak postępowałam.

Do chwili gdy odkryłam, że nie muszę być Ofiarą, bo to zależy tylko ode mnie.

Odkryłam, że znacznie lepiej i przyjemniej jest zrobić krok do przodu zamiast bez przerwy odwracać się do ściany i zasłaniać zapłakaną twarz. Dzięki temu zaczęłam czuć, że mogę coś zmienić w moim życiu.

„Coś" to już bardzo dużo. To było znacznie więcej od poprzedniego bezradnego „nic". Potem się okazało, że jeśli człowiek chce i próbuje, to może zmienić wszystko i zorganizować swoje życie tak, żeby przynosiło mu radość każdego dnia.

Ale żeby tak było, nie można być Ofiarą, która żyje pod ciężarem nie rozwiązanych spraw i problemów i potrafi jedynie płakać nad swoim losem.

Trzeba stać się Siłaczem.

To wcale nie jest trudne. Wystarczy sobie wyobrazić, że przychodzi do ciebie zapłakana, zmartwiona i pełna kompleksów Ofiara – czyli ty sam.

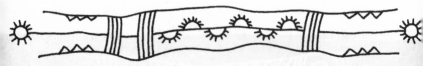

Siłacz szuka rozwiązania
i ma odwagę poprosić o pomoc
jeśli jej potrzebuje

ROZDZIAŁ 24

Sprawa żeber, czyli to, czego zmienić nie mogę

Wzięłam do ręki kartkę z listą rzeczy, które natychmiast chciałabym w sobie zmienić, bo ich nie lubię albo mi się nie podobają.

Teraz ja byłam Mędrcem i Siłaczem, który otrzymał zadanie do wypełnienia. Nadszedł czas podejmowania decyzji.

Przeczytałam jeszcze raz całą listę. Wiedziałam co trzeba teraz zrobić. Najpierw odrzucić to, co jest niemożliwe do wykonania albo czego postanawiam nie zmieniać.

Zatrzymałam się przy punkcie „Wystające żebra". Strasznie tego w sobie nie lubiłam. Nawet napisanie tego na mojej tajemnej kartce było dla mnie trudne. Ale pomyślałam, że koniec już z tym wiecznym rozczulaniem się nad samą sobą.

Wystające żebra. Na liście tego, czego w sobie nie znoszę.

– Wystające żebra można zmienić operacyjnie – powiedziałam do siebie surowo. – Chcesz poddać się operacji?

Nie chcę – odrzekłam od razu.

W takim razie chcesz zostać z takimi żebrami, jakie teraz masz?

Milczałam.

Ja-Ofiara oczekiwałam, że bez mojego udziału stanie się jakiś cud. Ale ja-Siłacz nie miałam czasu do zmarnowania. Powiedziałam więc do siebie:

– Halo? Czekam na twoją decyzję. Możesz zrobić co zechcesz. Wystarczy podjąć decyzję.

Milczałam.

– Halo, sierotko? – powiedziałam do siebie. – Rozmawiaj ze mną.

– Rozmawiam – odrzekłam niechętnie.

– Naprawdę? A może wolisz wszystko zostawić po staremu?

– Nie wolę – odpowiedziałam sobie.

– W takim razie mów do mnie – powiedziałam do samej siebie. I mówiłam to na glos. I na głos sobie odpowiedziałam:

– Dobrze. Jakie było pytanie?

– Masz wystające żebra. Teraz jest czas, żeby podjąć decyzję. Masz dwa wyjścia. Możesz zrobić operację, żeby je zmienić albo zostawić je tak jak są.

Westchnęłam.

– Tak czy inaczej – powiedziałam do samej siebie – teraz jest ten moment, kiedy podejmujesz decyzję w tej sprawie. Czy chcesz mieć operację zmniejszenia żeber?

– Nie chcę operacji – odpowiedziałam od razu.

– W takim razie chcesz, żeby zostały takie, jakie są teraz. Czy to jest twoja decyzja?

Milczałam.

– Halo? – powiedziałam znowu do siebie.

Rozmawiałam ze sobą tak, jakby rozmawiała z drugą osobą. I do dzisiaj tak robię. I to daje naprawdę niesamowite efekty.

– No więc? – nie odpuszczałam. – Co robimy? Chcesz operację?

– Nie chcę operacji – powtórzyłam.

– To znaczy, że uznajesz, że zmiana twoich żeber nie jest konieczna. Tak? Czy to jest twoja ostateczna decyzja?

– Tak – odpowiedziałam sobie w końcu.

I nagle poczułam niewyobrażalną ulgę.

O rety!

Nigdy nie sądziłam, że to może być takie proste! I każdy problem można rozwiązać w taki właśnie, konstruktywny sposób.

Najpierw trzeba określić na czym polega problem. Nazwać go po imieniu, najlepiej mówiąc do siebie na głos.

Potem zastanowić się jakie są możliwe sposoby jego rozwiązania.

A potem wybrać jeden z nich.

I zrealizować.

Podjąć decyzję i przestać wreszcie jęczeć, że coś jest nie tak. Jest dokładnie tak, jak chcesz, żeby było. Podejmij decyzję. Wykonaj. I przestań narzekać.

Jeśli chcesz, żeby było inaczej, przestań czekać aż coś się samo zmieni. Weź odpowiedzialność za to jak wygląda twoje życie.

Punkt po punkcie przeszłam przez wszystkie sprawy na mojej liście.

Niektóre wykreśliłam. Po namyśle uznałam, że jednak nie chcę ich zmieniać.

Pozostałe przepisałam na czysto, żeby móc im się lepiej przyjrzeć.

Sporo tego było. W pierwszym odruchu jak zwykle skuliłam się w sobie, bo wydawały się trudne do udźwignięcia. Ale w następnej chwili przypomniałam sobie o zasadzie priorytetu.

Wszystkiego na raz na pewno nie da się zrobić. To tak jak z podnoszeniem ciężarów: nie ma sensu nakładać na sztangę wszystkich odważników z sali gimnastycznej, bo nikt jej nie udźwignie.

A więc po jednym, po kolei.

Wybierz ze swojej listy to, co chcesz zmienić w pierwszej kolejności. O innych sprawach na razie zapomnij. Jeżeli są mniej ważne, to mogą poczekać.

Wybierz jedną, najważniejszą rzecz.

Zastanów się i znajdź wszystkie możliwe rozwiązania i sposoby, żeby to zmienić na lepsze.

Zapytaj siebie jako Siłacza co trzeba zrobić – i odpowiedz sobie tak, jakbyś doradzał przyjacielowi. Najlepiej mów na głos, żeby nie zgubić żadnych słów. W myślach często człowiek przeskakuje z jednego tematu na drugi. Kiedy się mówi na głos, to wszystko nabiera większej wagi.

Następnie podejmij decyzję który z tych sposobów wybierasz, a potem przystąp do realizacji.

Bo w życiu najbardziej szamocze się ten, kto nie podejmuje żadnych decyzji. Rośnie w nim poczucie bezradności, upływającego czasu i beznadziei. Dlatego lepiej żyć świadomie i decydować o tym, na co możesz mieć wpływ.

Wystające żebra, które zawsze tkwiły gdzieś boleśnie w mojej podświadomości i składały się na cały obraz mojego „ja", z którego nie byłam zadowolona, przestały mi doskwierać w momencie, kiedy zdałam sobie sprawę z tego, że jednak nie chcę ich zmieniać.

Nigdy wcześniej po prostu nie zastanowiłam się JAK mogłabym je zmienić i co musiałabym w tym celu zrobić.

Nagle poczułam, że sprawa została „załatwiona". Nie jest już problemem w moim życiu, ponieważ ja sama postanowiłam, że jednak nie chcę poddawać się operacji i wobec tego POSTANAWIAM, ŻE CHCĘ zostawić je takimi, jakie są.

O jeden punkt mniej na liście spraw do zrobienia w moim życiu.

Podjęłam decyzję, sama zdecydowałam co chcę zrobić, więc nie ma tu miejsca na narzekanie ani marudzenie. Sprawa żeber zamknięta. Czas zająć się następnymi rzeczami z listy.

W życiu najbardziej szamoce się ten,
kto nie podejmuje żadnych decyzji
Lepiej żyć świadomie
i decydować o tym,
na co masz wpływ

ROZDZIAŁ 25

Sprawa francuskiego, czyli to, co mogę zmienić, ale dotąd mi się nie chciało

Na liście spraw zostały głównie moje wyrzuty sumienia – czyli rzeczy, które chciałabym w sobie zmienić, ale jakoś nigdy mi się nie chciało cokolwiek z nimi zrobić. To są rzeczy z rodzaju „powinnam" albo „dobrze byłoby, gdybym" – bez ciągu dalszego.

No cóż. Wóz albo przewóz. Albo będę żyła tak jak dotychczas, w poczuciu niespełnienia, tęsknot, rozczarowania i pretensji, albo wreszcie coś zmienię i doprowadzę do tego, że będę zadowolona i szczęśliwa.

Nadszedł więc czas, żeby przestać czekać na cud i zbawcę, który przybywa z mgły na białym rumaku. Niektórzy czekają na niego przez całe życie, z każdym rokiem popadając w coraz większą gorycz i niechęć.

Czas więc zakasać rękawy i wziąć się do pracy nad sobą i własną przyszłością.

Jak?...

W prosty sposób.

Wypisałam już przecież na kartce wszystko, co chcę zmienić w swoim życiu, bo mi się nie podoba oraz to, co chcę zdobyć i osiągnąć, bo tego pragnę. Wykreśliłam z tej kartki to, co uznaję za niemożliwe do zmiany i nie zajmuję się tym więcej.

Pozostało kilkanaście punktów, które dość boleśnie kłują w oczy, bo skrywałam je przed sobą przez wiele lat.

Chciałam się nauczyć francuskiego. Od lat podobało mi się brzmienie tego języka, wiedziałam, że będzie mi potrzebny na wyspach Polinezji Francuskiej, ale odstraszało mnie to, że wydawał się bardzo trudny. Kiedyś nawet próbowałam się uczyć, ale podręczniki do francuskiego są tak okropnie skonstruowane, że z każdą lekcją wprowadzają mnóstwo gramatyki. Za dużo. Dlatego pewnie po kilku lekcjach porzuciłam naukę, ale francuski pozostał we mnie jako tęsknota.

A więc pytanie: czy chcesz się uczyć francuskiego?

Jeśli tak, to wyznacz sobie regularne lekcje albo zapisz się na kurs bez prawa opuszczenia ani jednych zajęć. Albo robisz coś porządnie, albo w ogóle daj sobie spokój, bo jaki sens ma udawanie przed samym sobą, że chcesz coś zrobić, jeżeli czynami udowadniasz, że tak naprawdę wcale tego nie chcesz, bo szukasz wymówek i usprawiedliwień, żeby jednak tego nie robić?...

Marzyłam o tym, żeby zobaczyć
na własne oczy tajemnicze plemiona
Indian w dżungli amazońskiej

Jeśli nie, to wykreśl francuski z listy swoich niespełnionych marzeń i przyznaj się do tego, że zwyczajnie nie chcesz nauczyć się francuskiego, i zajmij się czymś, co cię naprawdę kręci.

Bo jeśli naprawdę chcesz, to musisz znaleźć w sobie wystarczająco dużo siły, czasu i energii, żeby pokonać trudny początek i potem kontynuować naukę, która z każdym dniem będzie coraz łatwiejsza.

Następny punkt: podróże. Marzyłam o tym, żeby zobaczyć na własne oczy to wszystko, o czym czytałam z wypiekami na twarzy: wielkie jaszczurki na Komodo, żyrafy na afrykańskiej sawannie, tajemnicze plemiona Indian w puszczy amazońskiej. Uwielbiałam siadać z atlasem i czytać nazwy geograficzne. Zastanawiałam się jak wygląda codzienne życie na Mato Grosso, jak pachnie Ganges o świcie, z jak daleka słychać dzwony bijące w wiejskim kościele francuskiej Prowansji...

Zamykałam oczy i przenosiłam się do tych miejsc w wyobraźni. Tysiące razy widziałam siebie w samolocie – zawsze kiedy widziałam samolot na niebie, zaciskałam powieki i wyobrażałam sobie, że siedzę w środku, dotykam oparcia fotela, wyglądam przez okrągłe okno i patrzę na daleką ziemię w dole, gdzie stoi maleńka kropka i macha do mnie ręką. Ta mała kropka na dole to ja.

Kiedy odczytałam punkt o podróżach, aż wszystko we mnie drgnęło, tak mocno i głęboko tego pragnęłam. Natychmiast pojawiły się też wątpliwości i przeszkody.

To dobry znak. Najważniejsze to nazwać wszystkie wątpliwości i przeszkody w drodze do celu, a potem znaleźć sposób, żeby je pokonać. Czasem wystarczy tylko włączyć pozytywne myślenie.

– Jakie przeszkody stoją na drodze do realizacji marzenia o podróżowaniu? – zapytałam siebie surowym głosem, bo nie chodziło mi o to, żeby się roztkliwiać, ale żeby możliwie szybko znaleźć rozwiązanie.

– Na to potrzeba wielkich pieniędzy, których nie mam.
– Co trzeba zrobić, żeby je mieć?
– Zarobić?...
– Jak jeszcze można je zdobyć? Wymień wszystkie możliwości.
– Można dostać w prezencie, wygrać na loterii, wziąć kredyt, pożyczyć od znajomych, znaleźć na ulicy, ukraść, sprzedać coś.
– Którą z tych możliwości bierzesz pod uwagę?
– Żadną – odpowiedziałam prawie od razu. – Nie ukradnę i nie pożyczę, bo z czego potem oddam? Nie wezmę kredytu, bo nie chcę się wiązać odsetkami i terminami spłat kolejnych rat. Nigdy nie znalazłam pieniędzy na ulicy, nie wygrałam na loterii, nie dostałam w prezencie, więc teraz to się raczej też nie zdarzy. Jedyne co mogę zrobić, to zarobić. Ale jak?...
– No właśnie: jak? Zastanów się.

Zastanowiłam się głęboko. Odsunęłam wszystkie inne sprawy na bok. Nagle przypomniałam sobie, że mogę znów zacząć udzielać lekcji angielskiego. Mogę zgłosić się do biura tłumaczeń i przyjmować zlecenia. Mogę przeglądać oferty pracy w gazetach. Skoncentrowałam się na tym, że chcę odłożyć wystarczającą sumę pieniędzy na wielką wyprawę do Ameryki Południowej.

Kilka dni później niespodziewanie zadzwonił dawny znajomy z pytaniem, czy chciałabym zająć się tłumaczeniem list dialogowych do filmów dokumentalnych w telewizji.

– Oczywiście, wszystko co masz! – odpowiedziałam.

Przez następne dwa lata pracowałam przez wiele godzin dziennie, ale przyświecała mi jedna myśl, która dodawała mi skrzydeł i napędzała do wysiłku: z każdym dniem byłam coraz bliżej celu. Odmawiałam sobie pomidora do kanapki, nie kupowałam nowych ubrań, oszczędzałam na wszystkim. Aż w końcu nadszedł dzień, kiedy kupiłam bilet lotniczy, ustawiłam go na honorowym miejscu na biurku i w oczekiwaniu na dzień wyjazdu pracowałam jeszcze ciężej.

I tak właśnie zaczęłam podróżować. Nie mam bogatych krewnych, nie dostałam spadku, nie wygrałam na loterii. Nikt nie dał mi w prezencie pieniędzy potrzebnych na pierwszą i następne wyprawy.

Często spotykam ludzi, którzy – tak jak ja kiedyś – marzą o podróżowaniu. Przychodzą na spotkania autorskie albo piszą listy z pytaniem czy mogę im poradzić gdzie mogą znaleźć sponsora. Przypuszczają, że pewnie mam możnych znajomych i bogate doświadczenia w znajdowaniu funduszy. Zawsze im wtedy odpowiadam zgodnie z prawdą:

– Nigdy nie miałam sponsora i nigdy go nie szukałam. I wydaje mi się, że takie poszukiwanie i przekonywanie kogoś do zainwestowania w nieznany projekt wymaga dokładnie tyle samo czasu i energii, co zarobienie tych pieniędzy własnymi rękami. Wolę sama pracować i odkładać, bo wtedy oprócz pieniędzy zyskuję jeszcze coś, co jest bezcenne: wolność i niezależność.

Tak było w moim życiu od początku. Zakasałam rękawy, skoncentrowałam wszystkie siły na osiągnięciu celu i sama zarobiłam pieniądze na wyprawę. Czułam wtedy, że sprzyja mi potężna moc, dzięki której mogę łatwiej realizować to, co sobie wyznaczę za cel.

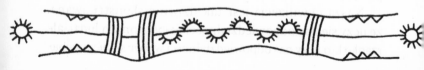

ROZDZIAŁ 26

Firma zwana życiem

Człowiek przez całe życie musi usprawiedliwiać swoje decyzje przed innymi ludźmi. Ciągle ktoś pyta dlaczego postąpiłeś tak a nie inaczej, dlaczego coś powiedziałeś albo czegoś zapomniałeś powiedzieć czy zrobić. To sprawia, że kiedy przychodzi czas podjęcia decyzji, zwykle instynktownie przygotowujesz wyjaśnienie dla innych i czasem nawet kierujesz się ich oczekiwaniami.

Ale tak naprawdę kiedy podejmujesz decyzję dotyczącą twojego życia, powinieneś przede wszystkim zapytać swojego sumienia czy to jest dokładnie to, czego pragniesz i czy to sprawi, że będziesz szczęśliwy.

Jeśli tego nie zrobisz, to tym trudniej będzie ci później przejąć kontrolę i naprawdę stać się panem swojego losu.

Nasza cywilizacja jest tak dziwnie skonstruowana, że uczy się nas odpowiedzialności wobec innych ludzi, ale rzadko kto uczy nas odpowiedzialności wobec samego siebie.

Kiedy podejmuję decyzję dotyczącą mojego życia, pytam mojego sumienia czy to jest dokładnie to, czego pragnę i czy to sprawi, że będę szczęśliwa

Kiedy miałam piętnaście lat, uważałam, że jestem za gruba. Moja mama twierdziła, że jestem „chudzielcem". Prawda leżała pewnie gdzieś pośrodku. Ale moje zachowanie było co najmniej dziwne: kiedy nikogo nie było w kuchni, ukradkiem podjadałam słodycze, starając się, żeby nikt mnie nie widział.

W domu moich rodziców za jedzenie słodyczy nie groziła kara, nie było zakazu. Ja sama wprowadziłam do mojego życia takie ograniczenie – bo chciałam schudnąć. Ale najdziwniejsze było to, że przestrzegałam tego postanowienia wyłącznie wobec innych ludzi – a nie wobec siebie samej!

Kiedy ktoś mnie częstował ciastem, dziękowałam i odmawiałam. Ale kiedy nikt mnie nie widział, zjadałam dwa kawałki!

To właśnie dlatego, że nauczono mnie rozliczać się z moich czynów przed obcymi, ale brakowało mi dyscypliny wewnętrznej.

I to była kolejna najważniejsza rzecz, jaką odkryłam w życiu:

W moim życiu JA podejmuję zobowiązania WOBEC SAMEJ SIEBIE i ja się z nich rozliczam ze sobą.

Dotarcie do tej prostej prawdy zajęło mi kilka długich lat, ale dopiero wtedy nagle poczułam się wolnym i silnym człowiekiem. Dyrektorem swojego życia. To spora firma, którą trzeba zarządzać twardą ręką. A potem jeszcze rozliczać się przed Prezesem, którym też mianowałam samą siebie.

ROZDZIAŁ 27

Trening umysłu

Zauważyłam ciekawą, ale dość logiczną rzecz: organizm człowieka instynktownie unika wysiłku. To pewnie dlatego, że głęboko w duszy każdy boi się śmierci z powodu przepracowania, niedotlenienia, zagonienia, przemęczenia i przeciążenia. Być może to pozostałość z instynktu wypracowanego przez jaskiniowców, którzy zawsze musieli być gotowi na walkę z niespodziewanym zagrożeniem.

Poza tym życie jaskiniowców samo w sobie wymagało wielkiego wysiłku. Trzeba było własnoręcznie schwytać kolację, rozniecić ogień, upiec jedzenie, znaleźć okrycie przed chłodem i deszczem, obronić się przed głodnymi zwierzętami.

Ale w dzisiejszych czasach? Prawie wszystko mamy podane na talerzu. Nie trzeba polować na obiad, wystarczy pójść do sklepu albo restauracji. Na deszcz mamy parasole, a przed chłodem chronią nas kaloryfery i ciepłe swetry. Jest wygodnie.

A jednak wciąż człowiek instynktownie unika wysiłku.

Ale uwaga.

Żeby się czegoś nauczyć, czegoś dokonać albo coś stworzyć – wysiłek jest konieczny. I nie da się tego zrobić wielkim zrywem raz na pół roku.

Odkryłam to wtedy, gdy na serio zaczęłam się uczyć języka angielskiego. Wcześniej pracowałam zrywami, czyli kiedy nachodziła mnie ochota poparta wyrzutami sumienia. Wtedy wyciągałam książki i zagłębiałam się w nich na kilka długich godzin. Kiedy kończyłam taką sesję, byłam wykończona. I nic dziwnego, że mój organizm bronił się przed następną podobną rewolucją.

Musiało więc minąć kilka tygodni albo miesięcy, żebym znów zebrała się w sobie, otworzyła książki i próbowała nauczyć się jak najwięcej.

I w tym właśnie tkwił mój błąd.

Najbardziej skuteczny sposób na opanowanie jakiejś sztuki, wiedzy lub stworzenie jakiegoś dzieła to **trening umysłu**.

Trzeba przyzwyczaić umysł, że codziennie o tej samej porze będzie się gimnastykował w pewien określony sposób.

Przy każdym „zrywie", który zdarza się nieregularnie i z jakiejś szczególnej okazji, umysł musi na nowo rozpoznać sytuację i wdrożyć się do wymaganego sposobu myślenia. I przez cały czas ma też świadomość tego, że za chwilę będzie musiał znów całkowicie się przekwalifikować i rozwiązywać zupełnie inne problemy. Jakie – tego oczywiście nie można przewidzieć.

Trzeba więc przygotować umysł do tego, że regularnie o tej samej porze będzie pracował w określony sposób. I koniecznie wyznaczyć mu początek i koniec tej pracy.

Kiedy uczyłam się włoskiego, postanowiłam, że będę to robić co drugi dzień wieczorem. W ciągu dnia miałam dużo różnych zajęć, których nie byłam w stanie precyzyjnie zaplanować, więc dopiero wieczorem był taki moment, kiedy mogłam coś zaplanować i mieć pewność, że dotrzymam danego sobie słowa.

Wyznaczyłam sobie porę w poniedziałki, środy i piątki między 21.00 a 22.00 i ani sekundy dłużej. Po dwóch tygodniach nauka weszła mi w nawyk. Przed dziewiątą wieczorem już zaczynały mi się w głowie wyświetlać słówka i przypominało to, czego uczyłam się ostatnio. Kiedy kończyłam kolejną lekcję o 22.00, nigdy nie byłam zmęczona, a wprost przeciwnie – czasem miałam jeszcze ochotę dłużej posiedzieć nad książką, ale nie robiłam tego.

Chciałam przyzwyczaić mój umysł do tego, że przez tę jedną godzinę może i powinien całkowicie przestawić się na przyswajanie obcego języka. Nie zajmowałam się wtedy niczym innym – nie odbierałam telefonu, nie słuchałam muzyki, nie myślałam o przyszłości. Przez godzinę koncentrowałam się wyłącznie na języku włoskim.

A potem, o 22.00, z czystym sumieniem zamykałam książkę i zeszyt, odkładałam długopis i mogłam spokojnie zająć się innymi sprawami.

Trzeba przyzwyczaić umysł do tego,
że codziennie o tej samej porze
będzie się gimnastykował
w pewien określony sposób

Zyskałam jeszcze coś: dzięki temu, że wyznaczyłam sobie stałą i regularną porę nauki, przestało mnie nękać poczucie winy, że postanowiłam uczyć się włoskiego i ciągle brakuje mi na to czasu. Nie musiałam już szukać okazji, żeby zająć się wypełnieniem swojego postanowienia. Po prostu zajmowałam się nim w poniedziałki, środy i piątki przez jedną godzinę wieczorem.

Mój umysł szybko przystosował się do tego rytmu i dzięki temu uczyłam się szybciej.

Nie wiem, czy to kiedykolwiek zostało potwierdzone naukowo, ale z mojego doświadczenia wynika, że jeżeli umysł zostanie skoncentrowany na jednej sprawie i jeżeli będzie to sprawa powtarzalna – na przykład codzienna lekcja obcego języka albo codzienne napisanie jednego wiersza – to po pewnym czasie wyzwala się w człowieku dodatkowa energia, nowy, wyspecjalizowany talent, który umysł wytwarza w celu obsługi tego nowego zadania.

Ale żeby tak się stało, ta czynność musi być systematyczna i regularnie powtarzana.

Wyobrażam sobie, że można by to porównać do powołania w przedsiębiorstwie zupełnie nowego działu, który od pewnego momentu będzie się zajmował wyłącznie projektowaniem i wytwarzaniem nowego produktu.

Wydaje mi się, że podobnie dzieje się w ludzkim mózgu. Codziennie dostaje miliony różnych sygnałów i gdyby chciał zajmować się dogłębnie nimi wszystkimi, to pewnie przepaliłby się po kilku godzinach. Dlatego musi posiadać jakąś barierę ochronną, coś w rodzaju trudno przepuszczalnego muru, na którego drugą stronę przedostaje się tylko część najsilniejszych bodźców ze świata zewnętrznego.

Jeżeli codziennie lub w innych regularnych odstępach do twojego mózgu dociera zapotrzebowanie na takie a nie inne działanie, to po pewnym czasie mózg uruchomi dodatkowy dział, którego zadaniem będzie zajmowanie się wyłącznie tym jednym, powtarzalnym i przewidywalnym problemem.

Na tym właśnie polega trening umysłu – żeby poprzez systematyczny sygnał wyzwolić w nim dążenie do zdobycia mistrzostwa i osiągnięcia doskonałości w wybranej przez ciebie dziedzinie.

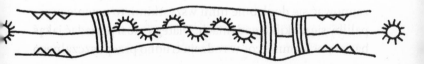

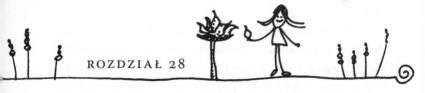

ROZDZIAŁ 28

Wewnętrzny ogień

Przypuszczam, że to nigdy nie zostało zbadane i nie słyszałam o żadnej teorii naukowej, która może poprzeć to, co za chwilę napiszę. Znam to jedynie z własnego doświadczenia i dlatego wiem, że to działa.

Namiętność jest jak ogień, który wypełnia człowieka od środka. Są różne rodzaje namiętności, ale zamiłowanie, gorąca chęć, pasja do robienia lub osiągnięcia czegoś jest jednym z nich.

Jeżeli masz taki ogień w sobie, to jesteś energetycznie naładowaną cząstką kosmosu, która wywiera wpływ na inne obiekty, siły i ciała wszechświata, przyciąga je do siebie i dzięki temu jest w stanie czerpać z nich energię.

Nikt chyba tak naprawdę nie wie co się znajduje we wszechświecie. Nikt nie potrafi wyjaśnić cudów, jakie się zdarzają, tajemniczych wydarzeń, *déjà vu*, magicznych przypadków, nadprzyrodzonych zdolności i innych podobnych rzeczy.

Ja też nie, ale wydaje mi się, że każda ludzka myśl, każdy czyn, każde słowo i każde uczucie ma wpływ na stan wszechświata. Każde z nich jest drobnym drgnięciem, które przenosi się dalej i dalej, powodując po drodze rozmaite wydarzenia.

Wyobrażam sobie, że jest to dość mocno spleciona sieć z nitek energii, a każde z naszych słów, myśli, czynów i uczuć jest jak ziarnko pyłu lub kropla wody – które upada w przypadkowym miejscu na tę sieć i wzbudza w niej mniejsze lub większe drgania, które przenoszą się coraz dalej i biorą udział w serii innych drgań, dotknięć i poruszeń, które w sumie powodują efekt odczuwalny na skalę małą lub ogromną – jednego człowieka albo całego kontynentu czy świata.

Dlatego trzeba mieć w sobie dobre, pozytywne uczucia. I jednocześnie uwalniać się od złych i ciężkich emocji, bo one szkodzą wszystkim: i człowiekowi, który je w sobie trzyma, i światu, po którym krążą.

Gorące pragnienie osiągnięcia, zrobienia albo zdobycia czegoś jest żywą kulą pulsującej energii, która działa jak magnes i sama dąży do rozwijania się i nabierania coraz większej mocy. Wtedy do siły twoich marzeń czy pragnień dochodzi siła z zewnątrz, z kosmosu, skąd dokładnie – nie wiadomo, być może to jest tylko energia wytwarzana przez twoje gorące myśli, a może te myśli rozgrzewają atmosferę

Ważne jest to, żeby wiedzieć
czego się pragnie i pragnąć tego
ze wszystkich sił.
Wzniecić w sobie ogień, który
wypełni cię żarem od środka

dookoła i wtedy powstaje nieznana dotąd nauce siła, a może jest jeszcze inaczej – nie wiem. Wiem tylko, że to działa.

Jedyny warunek jest taki, że musi być to pasja pozytywna, nie skierowana przeciwko nikomu ani niczemu. Jeżeli trawi Cię gorąca zazdrość albo nienawiść do kogoś, to ogień, który w sobie rozniecasz, spali zarówno twojego wroga, jak i ciebie. Może się też zdarzyć tak, że jego jedyną ofiarą będziesz ty.

Negatywne, agresywne, złe emocje są po prostu bardziej ciężkie i dlatego trzymają człowieka przy ziemi zamiast go uskrzydlać.

Wiele razy w życiu zdarzyło mi się, że marzenie o czymś, gorące pragnienie, żeby to się mogło spełnić – mimo, że teoretycznie nie było na to szansy – stawało się rzeczywistością. Spełnienie przychodziło z najmniej spodziewanej strony i w zaskakującym momencie.

Tak było z moją pierwszą wielką podróżą za granicę. Realnie patrząc, nie miałam szans. Mieszkałam z rodzicami, siostrą i bratem na ósmym piętrze mrówkowca w północnej dzielnicy Koszalina. Przy dobrej pogodzie z okna mojego pokoju widziałam słońce odbijające się w morskich falach.

Stałam przyklejona do szyby i wyobrażałam sobie, że czeka tam na mnie potężny żaglowiec gotowy do drogi, który śmiga na drugą stronę oceanu i oto schodzę wśród motyli na daleki, gorący ląd. Widziałam witających mnie ludzi ubranych w muszle i kwiaty, dostawałam od nich tropikalne owoce i pozwalałam się prowadzić dalej do ich wioski. W marzeniach, oczywiście, które przelewałam na papier w formie opowieści albo obrazów.

Czasem przenosiłam niektóre elementy tych dalekich światów do mojego prawdziwego życia. Kiedy miałam szesnaście lat, uszyłam swoją pierwszą dżalabiję, czyli tradycyjną szatę z szerokimi rękawami, sięgającą do ziemi, noszoną przez mężczyzn w krajach arabskich. To bardzo wygodny strój, który dzisiaj turyści często przywożą z Egiptu, Tunezji czy Sudanu, ale niestety moja żółta dżalabija w Koszalinie na początku lat osiemdziesiątych nie spotkała się ze zrozumieniem. Ludzie wyśmiewali mnie głośno na ulicy i pokazywali mnie palcami. Mimo to chodziłam w niej latem.

Polska była wtedy krajem za żelazną kurtyną.

Obywatel nie był właścicielem swojego paszportu. Wydawano go oficjalnie na czas wyjazdu, a w ciągu siedmiu dni od powrotu do Polski trzeba było zwrócić go odpowiednim władzom, które przechowywały go w „bezpiecznym miejscu".

Pozwolenie na wyjazd za granicę wymagało złożenia wielu dokumentów, z których większość uważałam za upokarzające. Żeby wyjechać „na zachód", trzeba było dostać zaproszenie od obywatela kraju, do którego chciałeś wyruszyć. Ale ten, kto wystawiał ci takie zaproszenie, musiał jednocześnie podpisać zobowiązanie, że bierze za ciebie pełną odpowiedzialność. Jeśli zrobisz coś złego, on będzie ponosił konsekwencje. Jeśli uciekniesz albo będziesz nielegalnie pracował, on zostanie za to ukarany.

I to nie wszystko.

Ten gość z zagranicy, który zapraszał cię do siebie, musiał też zobowiązać się do tego, że będzie cię utrzymywał i zapewni ci mieszkanie.

Wyobrażasz sobie?

Polak był tylko ubogim krewnym z Trzeciego Świata. Nie miał prawa swobodnie podróżować ani nawet mieć własnego paszportu.

Wyobrażasz sobie taki świat?

I jak ja się w nim czułam?

Byłam więźniem. Obywatelem gorszej kategorii. Bez prawa do opuszczenia granic Polski.

A jednak marzyłam o podróżowaniu.

Marzyłam tak mocno, że zasypiałam z tymi myślami i znów rano budziłam się z nimi. Były obecne w każdej chwili mojego życia. I chociaż miałam świadomość tego, że te marzenia są niemożliwe do zrealizowania, nie przestawałam tego pragnąć.

Pewnego dnia dowiedziałam się, że można przystąpić do egzaminów, po których zwycięzcy wyjadą na OHP za granicę. To właściwie cud, że Polska brała udział w Międzynarodowych Obozach Ochotniczych Hufców Pracy. Byłam na takich dwóch obozach w Kołobrzegu. Tam spotkałam rówieśników z różnych stron świata – z Włoch, Norwegii, Francji, Anglii, a nawet takich odległych miejsc jak Islandia czy Nowa Zelandia.

Podczas drugiego obozu w Kołobrzegu spotkałam młodego Amerykanina, który miał prawie dwa metry wzrostu i studiował medycynę. Chciał zostać lekarzem i leczyć dzieci w Gwatemali. Odkryłam w nim prawdziwą bratnią duszę. Całymi godzinami rozmawialiśmy o sztuce, o życiu, o przyszłości. Nazywał się Bob Luby. Nigdy później go nie spotkałam, ale wiem, że to się kiedyś zdarzy.

Ha! Tu muszę wtrącić dygresję w roku 2013.

Kilkanaście miesięcy temu wpisałam do wyszukiwarki internetowej jego nazwisko i zawód i natychmiast wyskoczyła mi informacja o tym gdzie mieszka i pracuje. Napisałam do niego maila z pytaniem czy mnie pamięta.

– Och oczywiście, że ciebie pamiętam! – odpisał.

Bob pracuje jako lekarz w stanie Massachussets. Wymieniliśmy kilka maili i w jednym z nich Bob napisał, że rozmawiamy ze sobą co dwadzieścia lat. Do usłyszenia znów, Bob, za następne dwadzieścia ☺

Wracam do obozu.

Przez kilka godzin dziennie pracowaliśmy społecznie w mieście. Pieliliśmy róże na trawnikach, zamiataliśmy ulice, a czasem spaliśmy w parku po bezsennej nocy.

Najważniejsze jednak było to, że mogłam ćwiczyć mówienie po angielsku i mieć kontakt z prawdziwymi ludźmi z końca świata.

Ha!

A potem stała się rzecz niesamowita.

Ogłoszono możliwość wyjazdu na zagraniczny obóz pracy. W mojej szkole odbyły się wstępne egzaminy na szczeblu lokalnym. Potem zdałam egzaminy wojewódzkie i zostałam wysłana do Warszawy na egzaminy ogólnopolskie z języka obcego oraz wiedzy społeczno-politycznej. To pierwsze zdałam dość łatwo, z drugim miałam problemy.

W moim domu otwarcie rozmawiało się o związkach zawodowych i opozycji. Niewiele z tego rozumiałam, ale co zapamiętałam, powtórzyłam na egzaminie. O mały włos nie straciłam przez to mojej wielkiej szansy. Pan w komisji egzaminacyjnej pouczył mnie, żebym w przyszłości bardziej uważała na to co mówię, a potem dodał, że dostałam skierowanie na obóz pracy do Włoch.

Aaaaaa!!!! To był po prostu cud!!!

Wyruszyłam w moją pierwszą wielką samodzielną podróż do miasteczka Monte San Biaggio niedaleko Rzymu nad Morzem Tyrreńskim.

Pamiętam pierwszy moment, kiedy pociąg opuścił strefę komunizmu i wtoczył się na wiedeński dworzec. Przykleiłam nos do szyby i zobaczyłam automaty z kolorowymi czekoladami, czyste ściany i podłogi, jasne światło, uśmiechniętych ludzi. Zacisnęłam z całych sił oczy, żeby ten obraz zachować w pamięci i przytrzymać go w sobie. Odkryłam nowy świat.

Tak spełniło się po raz pierwszy moje pozornie nieziszczalne marzenie o podróżowaniu. We Włoszech nasza „praca" polegała na obserwowaniu czy las się nie pali. Tam po raz pierwszy zobaczyłam cyprysy i usłyszałam cykady grające po zmierzchu. Chodziłam po puszczach dębów korkowych wdychając ich zielony zapach. I marzyłam dalej.

ROZDZIAŁ 29

Dwie strony świata

Kiedyś często narzekałam, byłam niezadowolona z tego co robię i z tego co się dzieje dookoła. Widziałam same wady.

Znam wielu takich ludzi.

Wy też ich znacie.

Bez przerwy rozmawiają o najgorszych stronach rzeczywistości. W poczekalni u dentysty opowiadają o najbardziej krwawych i bolesnych przypadkach rwania, zapalenia i powikłań. Podczas spotkań towarzyskich omawiają afery polityczne, oszustwa wyborcze i tragiczny los Polski. Przypominają sobie nawzajem wszystkie najgorsze wydarzenia, wypadki, klęski, katastrofy, znają szczegóły morderstw, napadów, pomyłek lekarskich, śledztw i rozpraw sądowych. Chętnie dzielą się informacjami o tym kto kłamie i co chce na tym zyskać.

Wydaje się, że sensem istnienia takich ludzi jest kolekcjonowanie złych wiadomości i przekazywanie ich dalej.

Robią tak ze strachu, bo w rzeczywistości nie są w stanie odnaleźć się we współczesnym świecie, który biegnie zbyt szybko i wydaje się nie podlegać żadnej kontroli.

Codziennie gdzieś niespodziewanie wybuchają wulkany, trzęsie się ziemia, ktoś podkłada bombę, atakuje przypadkowych przechodniów albo organizuje zamach terrorystyczny.

W ludziach rośnie podświadome przekonanie, że świat jest przerażający. Zaczynają czuć nieustanny lęk i zagrożenie. Nie wiedzą jak z tym walczyć. Myślą, że trzeba się jakoś się zabezpieczyć przed nadejściem następnych niespodziewanych nieszczęść, więc śledzą wszystkie tragedie i bez przerwy o nich opowiadają.

Ale to ich wcale nie przygotuje na nadejście nowej katastrofy. Będą tak samo zaskoczeni jak inni. Może nawet bardziej bezradni, bo przecież bardzo dużo energii zmarnowali na opowiadanie o tragediach i przeżywanie ich w wyobraźni.

Wiem to, bo kiedyś też tak się zachowywałam.

A kiedy doszło do sytuacji dramatycznej, okazało się, że jestem całkowicie zagubiona.

Teraz wiem już na pewno, że nieustanne rozmyślanie o nieszczęściach, kataklizmach i tragicznych wydarzeniach wcale nie dodaje siły do zmierzenia się z przeciwnościami losu. Wprost przeciwnie – osłabia, wysysa energię i pogłębia poczucie zagrożenia. Pełne strachu i stresu myśli są jak worek pełen kamieni, który leży na twoich plecach. Trudno wtedy się wyprostować i spojrzeć w niebo.

Myślenie pozytywne,
Koncentrowanie się na dobrych rzeczach,
zdarzeniach i planach
daje mnóstwo siły

Dlatego wolę patrzeć na jasną stronę świata.

Wolę żyć wśród dobrych ludzi i po słonecznej stronie rzeczywistości. Myślenie pozytywne, koncentrowanie się na dobrych rzeczach, zdarzeniach i planach daje mnóstwo siły i zdrowia. Jestem przekonana o tym, że dobro jest silniejsze od zła i zawsze je zwycięży. Poza tym dużo bardziej przyjemnie jest znajdować codziennie powód do radości niż gniewu.

Znam obie strony świata.

Tę ciemną, pełną strachu, gotowości do walki i obrony przed potencjalnym niebezpieczeństwem.

I tę jasną – z pozytywnymi myślami, szukaniem dobra w ludziach, zdarzeniach i w samym sobie.

Ja sama zdecydowałam gdzie wolę żyć na co dzień.

Nie mam ochoty tracić czasu i siły na rozpamiętywanie krzywd i obmyślanie sposobów zemsty. Nie widzę sensu w opowiadaniu o tym jak było strasznie, komu i jak długo lała się krew.

Wolę iść do przodu, patrzeć w przyszłość, tworzyć nowe rzeczy, szukać powodów do radości i być szczęśliwa.

Rozmyślanie o oszustwach, kłamstwach, złych ludziach i ich intrygach może tylko wprawić mnie w podły nastrój i odebrać energię. Po co więc mam się nimi zajmować? Jeżeli naprawdę są źli, to sami sobie zrobią krzywdę, bo człowiek, który czyni zło, staje się słaby i w końcu ginie pokonany swoją własną bronią.

Nauczyłam się decydować o tym, co jest dla mnie ważne i tylko tym sprawom poświęcać mój czas i energię. Szukam w świecie dobrych ludzi i często ich spotykam. Staram się dostrzegać dobre strony każdego wydarzenia. Dzięki temu moje życie jest lepsze, a ja czuję się szczęśliwsza. A poza tym szczęście przyciąga szczęście, więc kiedy jest dobrze, to za chwilę będzie jeszcze lepiej. Wolę się cieszyć tym co mam niż martwić z powodu tego, czego mi brak.

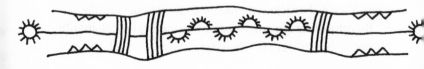

ROZDZIAŁ 30

Mój przyjaciel ja

To śmieszne i straszne, w jaki sposób kiedyś traktowałam samą siebie. Czułam do siebie niechęć. Byłam niezadowolona ze swojego wyglądu, charakteru, postępowania, osiągnięć, właściwie z prawie wszystkiego z wyjątkiem kilku drobnych detali. Często sama sobie robiłam przykrość i nieświadomie wymierzałam karę za to, że jestem taka, jaka jestem. To przerażająca odmiana okrucieństwa, bo wynikająca z bezradności i niewiedzy. Nie lubiłam siebie i wydawało mi się to oczywiste, że inni też mnie nie lubią, a jeżeli mnie nie lubią, to i ja ich nie lubię.

Myślę, że w każdym z nas czyha taki autodestrukcyjny potwór. Łatwo go wyłączyć – tak jak niechciany wirus w komputerze, ale najpierw trzeba w ogóle wiedzieć o tym, że taki wirus istnieje i nie ulec jego porażającej mocy.

Bo niby dlaczego zdrowy, silny, młody człowiek miałby chcieć siebie zniszczyć? Podkopać wiarę we własne siły,

zamknąć przed sobą drogę, uwięzić się we własnych gorz-
kich myślach?...

Dlatego, że nikt mu nie powiedział jak może sobie pomóc.
A także dlatego, że zawsze szukał potwierdzenia swojej
wartości u innych ludzi, a nigdy tak naprawdę nie zastanowił
się czy sam siebie lubi.

Bardzo kiedyś cierpiałam dlatego, że nieustannie szukałam akceptacji u innych ludzi. Oni pewnie w ogóle o tym nie
wiedzieli, bo nie chodziło o zadawanie jasnych i czytelnych
pytań w rodzaju:

– Czy mnie lubisz? Czy uważasz, że jestem wartościo-
wym człowiekiem?

Wstydziłam się zadać takie proste pytanie, więc raczej
próbowałam odgadnąć co inni ludzie o mnie myślą na podstawie ich reakcji i zachowań. I z tego wyciągałam wnioski
dotyczące nie tylko tego jak mnie postrzegają, ale w ogóle
tego jaka jestem i kim jestem. To głupi i niebezpieczny
błąd, bo prowadzi do szeregu pomyłek i coraz bardziej
fałszywych wniosków.

Podam przykład. Siedzę przy stole ze znajomymi.
Wszyscy z zacięciem opowiadają co im się zdarzyło podczas wakacji. Ja milczę. Pozostali są pochłonięci śmiechem,
rozmową i przypominaniem sobie kolejnych przygód.

Moje błędne rozumowanie było takie: nie widzą mnie, nie
pytają jakie były moje wakacje, w ogóle mnie nie dostrzegają.
No tak, to znaczy, że jestem wyjątkowo nieciekawą osobą

i nikt tu właściwie wcale nie ma ochoty ze mną rozmawiać. Gdybym tu się w ogóle nie zjawiła, nawet nie zauważyliby mojego braku. Równie dobrze mogłabym być dla nich powietrzem. A może ja jestem powietrzem? Jestem nikim, po prostu śmieciem niepotrzebnym nikomu.

To jest myślenie, które prowadzi do samozniszczenia. Do zakopania się pod górą własnej goryczy, pustki i bierności.

Oto błędy, jakie wtedy popełniłam:
- nic nie znaczące zachowanie obcych ludzi odebrałam jako ocenę i wyrok na moją osobę
- moje zadowolenie i samopoczucie uzależniłam od tego, jak mnie potraktują
- byłam nastawiona na to, żeby z otoczenia wychwytywać negatywne sygnały pod moim adresem
- ani przez chwilę nie zastanowiłam się czy to prawda, że jestem nudnym śmieciem i czy chcę nim być. Bo jeśli nie chcę nim być, to powinnam zrobić coś, żeby to zmienić.

Teraz, kiedy patrzę w przeszłość, dochodzę do wniosku, że najwięcej moich problemów wynikało właśnie z tego, że nie lubiłam siebie.

Widzę takich ludzi wciąż dookoła. Są zwykle agresywni, bo próbują zwrócić na siebie uwagę. Bardzo łatwo ich zranić, choć starają się nie pokazać jak bardzo ich coś zabolało. Nie umieją słuchać, bo przez cały czas próbują jakoś zaznaczyć swoją obecność i otrzymać potwierdzenie swojej wartości.

Równie łatwo wpadają w zachwyt nad swoimi zaletami i talentami, jak i w czarną rozpacz nad brakiem akceptacji i pustką swojego życia.

A przede wszystkim: nieustannie czują niedosyt i niezadowolenie i nie są w stanie czerpać radości z życia. Często nie umieją się skupić na żadnym swoim projekcie i doprowadzić do jego zrealizowania, bo ciągle poszukują zachęty i potwierdzenia ze strony innych ludzi.

Są szczęśliwi, kiedy widzą dowody zainteresowania, słyszą pochwałę albo komplement. Kiedy ich zabraknie, wpadają w rozpacz i szukają w sobie winy.

Czas poświęcony samemu sobie uważają za stracony, więc chętniej spędzają dzień na powierzchownych kontaktach z kolegami i wolą nie robić nic w towarzystwie niż zająć się czymś konstruktywnym i twórczym w samotności.

Bez oporów wychwalają swoje umiejętności, rzadko jednak starcza im energii i wytrwałości, żeby je udowodnić czynem.

Wszystko dlatego, że nie istnieją sami dla siebie.

Chcą za wszelką cenę zaistnieć w świadomości innych ludzi i od nich uzyskać informację o swojej wartości, ale nigdy sami nie próbowali wsłuchać się w swoją duszę i ją polubić.

Dlatego prześladuje ich poczucie okropnej pustki i samotności.

Wiem to, bo kiedyś też się tak czułam.

Pewnego dnia zastanowiło mnie, że tak bez przerwy podsuwam obcym ludziom moją duszę do oceny. Zatrzymałam się w biegu. Odwróciłam się. Zajrzałam w siebie. I postanowiłam się ze sobą zaprzyjaźnić.

Ha! Nikt mi nie powiedział, że moim pierwszym i największym przyjacielem powinnam być ja sama. W momencie,

Wreszcie odkryłam,
że moim największym przyjacielem
powinnam być ja sama

kiedy to odkryłam, nagle ogarnął mnie spokój i znikło dręczące poczucie pustki.

I nagle całkowicie odmieniło się także moje życie.

Przestałam się dręczyć i karać za rzeczy, które wydawały mi się niewybaczalne. Wcześniej obcemu człowiekowi wybaczyłabym łatwiej niż samej sobie. Gnębiłam się poczuciem winy, że zrobiłam coś strasznie głupiego, że straciłam szansę, że wypadłam beznadziejnie.

Ale odkąd stałam się przyjacielem samego siebie, jakoś... nie miałam już ochoty się biczować, a wprost przeciwnie – wolałam podejść do siebie z sympatią i zrozumieniem.

Najlepsze co można zrobić w trudnej sytuacji, to wyciągnąć z niej wniosek na przyszłość, zapisać tę nauczkę złotymi literami w duszy, a potem podnieść głowę i żyć dalej. Trudno, każdy popełnia błędy. Ja też nie jestem doskonała. Ale przynajmniej ta wpadka nauczyła mnie czegoś, więc mimo wszystko też coś zyskałam, bo jestem teraz bogatsza o trochę mądrości. Byłam głupia, wybaczam sobie, następnym razem będę mądrzejsza. Sprawa zamknięta.

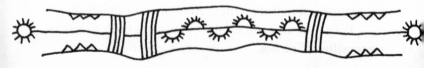

ROZDZIAŁ 31

Meteoropaci

Najłatwiej jest zrzucić złe samopoczucie na coś albo na kogoś. Ja też tak robiłam. Kiedy nic mi się nie chciało, czułam się senna i unikałam wysiłku, od razu mówiłam do siebie:

– Pewnie jest niskie ciśnienie, bo się okropnie czuję.

Wszędzie dookoła też słyszałam takie marudzenie. Kiedy ktoś miał zły nastrój, to narzekał, że pewnie ciśnienie jest za wysokie. Albo za niskie. Albo jest za zimno, albo za ciepło, albo za mokro, albo za sucho. I kiedyś to mi się wydawało normalne.

Nawet kiedy podawano pogodę w radiu albo w telewizji, prezenter dodawał ze współczującym wyrazem twarzy, że „biomet jest niekorzystmy". Albo mówił wprost:

– Będziemy się czuli osłabieni i u wielu osób zwiększy się wrażliwość na ból.

Rety! Kiedy takie słowa padają z telewizora, to nabierają wielkiej wagi! Wtedy człowiek czuje się zobowiązany, żeby też źle się czuć!!

Nie zgadzam się na to!

Kiedy jest za gorąco, biorę chłodny prysznic.
Kiedy jest za zimno, jem rozgrzewającą zupę.
Nie sprawdzam w ogóle ile hektopaskali ma dzisiaj ciśnienie, bo zajmuje się tym, co jest ważne. Piszę książkę. Przygotowuję audycję. Piszę felieton. Robię rysunki do nowego projektu. Robię coś. Koncentruję uwagę na tym, co jest ważne. Wtedy wahania ciśnienia naprawdę przestają mieć znaczenie.

Nie pamiętam nawet kiedy dokładnie zmienił się mój sposób myślenia.
Stało się to chyba równocześnie z kilkoma innymi ważnymi zmianami w moim podejściu do życia.
Przestałam narzekać, że czegoś nie umiem zrobić, że brak mi czasu.
Uwierzyłam w siebie i zaufałam sobie, zaczęłam myśleć pozytywnie i wtedy nabrałam wielkiej chęci, żeby robić coś, co daje mi radość. Uwielbiam wymyślać nowe rzeczy, projektować je, udoskonalać, wkładać całe serce i wszystkie myśli w to, nad czym akurat pracuję.
A potem wyjść na świeże powietrze, oddychać, czuć zapach kwiatów albo liści i nie myśleć o niczym. I wtedy właśnie najczęściej przychodzą mi do głowy nowe pomysły. A ja znów cała uradowana zastanawiam się jak to zrobić, żeby było najlepiej.

I naprawdę podoba mi się każda pogoda.

Nawet kiedy wszyscy narzekają na szary listopad, ja wychodzę na spacer i patrzę jak liście fruwają w powietrzu. Albo wkładam kalosze, chowam się w kapturze pod parasolem, okręcam szyję szalikiem i cieszę się, że jest mi sucho i ciepło chociaż na dworze szaleje wichura i deszcz.

Kiedyś na widok deszczu za oknem czułam przygnębienie i chętnie mu się poddawałam. I rzeczywiście wtedy złowieszcze prognozy pogody bardzo mi w tym pomagały. Słyszałam w radiu coś w rodzaju:

— Biomet niekorzystny, może wam dzisiaj towarzyszyć smutek i niechęć do pracy.

I natychmiast to czułam! Cała byłam niechęcią do pracy, smutkiem i przygnębieniem.

Teraz patrzę na deszcz i myślę sobie:

— O, jaki ładny deszcz!

Serio. Pomyśl czy to nie jest niesamowite, że deszcz to krople wody, które spadają z nieba? A czy jeszcze bardziej niesamowite nie jest to, że człowiek wymyślił przezroczyste okna, przez które deszcz nie może przedostać się do środka?

Przecież to jest fascynujące!

Albo nieprzemakalne kalosze! To normalnie cud świata!

Do tego ciepła kurtka, parasol, czapka i może wędrować przez świat!

A poza tym pomyśl jak to fajnie, że mamy bezpośredni dostęp do nieba! Że nie żyjesz w szklanej sztucznej kopule, że możesz wyjść na dwór, a niebo cię pokropi na szczęście.

Przecież to jest fantastyczne!

Nie zgadzam się na "niekorzystny biomet"! To nieprawda, że brzydka pogoda za oknem może zasmucić człowieka i odebrać mu siły

W moim świecie nie istnieje coś takiego jak „niekorzystny biomet".

Tak samo jak nie istnieje przestępczość zapisana w genach ani konieczność zjadania słodyczy. To wszystko tylko usprawiedliwienia wymyślane przez ludzi, którzy są zbyt leniwi, żeby włożyć trochę wysiłku w polepszenie swojego życia, więc biernie zgadzają się na jego pogorszenie.

Nie zgadzam się na „niekorzystny biomet"!

To nieprawda, że zwykła pogoda za oknem może zasmucić człowieka i odebrać mu siły. Powódź, tornado, tsunami, trzęsienie ziemi albo wybuch wulkanu – tak, ale nie zwykła codzienna plucha, śnieg czy słońce.

Ten „niekorzystny biomet", na który niektórzy lubią się powoływać, to nic innego jak poczucie, że w twoim życiu nie dzieje się nic szczególnego, że wszystko wygląda tak samo dzień po dniu. A ty nie masz nadziei ani chęci, żeby swój szary świat ubarwić.

Ale jeżeli nie masz nadziei ani chęci, to przecież nie jest to wina niskiego ciśnienia, tylko raczej tego, że nie zebrałeś się nigdy w sobie, żeby swoje życie zaprojektować tak, jakbyś chciał, żeby wyglądało.

Prawda?

Łatwiej jest marudzić na deszcz niż popracować nad swoim wewnętrznym słońcem.

Jeżeli życie wydaje ci się takie ponure i szare, to biadolenie na pogodę niczego nie zmieni.

Smutek nie bierze się z pogody, tylko z twojego nastawienia do samego siebie i wszystkiego, co cię otacza.

Radość też nie bierze się z pogody, tylko z tego, co ty o tej pogodzie myślisz.

Przestań więc zwalać winę na chmury, deszcz i ciśnienie.
Uśmiechnij się.
Zaplanuj zrobienie czegoś, o czym od dawna marzysz.
Po prostu.
Zajmij się czymś konstruktywnym, czymś, co przynosi ci radość i poczucie spełnienia.

Dodaj do swojego dnia trochę ulubionego smaku. Zobaczysz, że wtedy nagle biomet przestanie być ważny.

Ja właśnie tak robię.

Kiedy nie mam dobrego nastroju, próbuję robić różne rzeczy – do chwili, gdy znajdę taką, która mnie wciągnie i da mi radość. A czasem po prostu mówię sobie: deszcz nie deszcz, wiatr nie wiatr, bierz rower i pedałuj. Jak wrócisz, będziesz w świetnym nastroju.

I to się zawsze sprawdza.

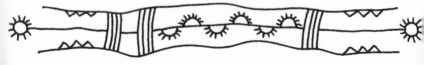

ROZDZIAŁ 32

Strach i odwaga

Wiem czym jest strach.

Taki najprawdziwszy, wielki, czarny, obezwładniający. Przeżyłam go wiele razy w dżungli amazońskiej. Czułam na skórze dotyk lepkich, czarnych macek wampirycznych nietoperzy, łakomy oddech zaczajonych jaguarów, zimne palce duchów i demonów, które chciały mnie wciągnąć w nicość.

Nie ma na świecie nocy bardziej czarnej, nieprzeniknionej i pełnej strachu niż amazońska. Kiedy nie widać księżyca, ciemność jest absolutna i wypełniona tysiącami najdziwniejszych dźwięków: szelestów, tupnięć, skrzypnięć, pomruków, świstów, syków, oddechów, pisków, sekretnych nawoływań i okrzyków rozpaczy. Czasem trzeba wyjść w taką ciemność z bezpiecznego hamaka i moskitiery. Na początku czułam paraliżujący strach, tak wielki, że drżały mi łydki i szczękały zęby.

Podobny strach czasem obezwładniał mnie w Polsce przed podjęciem jakiejś decyzji.

Pewnego razu nadeszła jedna z takich najczarniejszych amazońskich nocy. Szłam w ciemność z trudem łapiąc powietrze. Czułam na twarzy dotyk bezgłośnych skrzydeł nietoperzy-wampirów, a pod plecakiem odkryłam stado jadowitych skorpionów. Nagle uświadomiłam sobie, że ten wypełniający mnie strach rośnie, zatyka mi płuca i zaczyna mnie wciągać, a jeżeli mu ulegnę, to ogarnie mnie stan jeszcze cięższy i jeszcze trudniejszy do opanowania.

Pomyślałam, że ten obezwładniający mnie strach jest jak wielkie prześcieradło, które spadło na mnie, przykryło mi oczy i chce zamącić mi w głowie. Pochyliłam głowę, zamknęłam oczy, napięłam mięśnie i skoncentrowałam się na zebraniu wszystkich sił. A potem wyobraziłam sobie, że chwytam rękami za tę wielką czarną płachtę i zdzieram ją z siebie, nie pozwalam, żeby mnie pokonała i odebrała zmysły.

Wtedy nagle strach stał się jeszcze większy, tak jakby usiłował się przede mną obronić. Nie mogłam opanować drżenia. Czułam jak po kręgosłupie pełza mi lodowata łapa samotności, leku i rozpaczy.

– Muszę być silna, muszę być silna! – powtarzałam sobie w myślach. A potem zaczęłam mówić do siebie: – Kocham cię! Kocham cię! Kocham cię!

Jeszcze raz w wyobraźni złapałam rękami za krępujące mnie prześcieradło strachu i zerwałam je z głowy.

– chcę być silna! –
powtarzałam sobie w myślach.
Złapałam za krępujące mnie
prześcieradło strachu
i rozerwałam je

Wolność!!!!!!!
Zwycięstwo!!!

Bo strach jest tylko stanem umysłu.

Możesz nad nim zapanować jeśli chcesz. Pod warunkiem, że dasz sobie coś w zamian.

Czy wiesz co jest przeciwieństwem strachu?

Miłość.

I właśnie dlatego kiedy bardzo się boisz, najmocniej i najbardziej serdecznie mów do siebie, że siebie kochasz.

Od tamtej nocy nie boję się strachu.

Chwytam go w garść i myślę, że się nie poddam, bo nie chcę się poddać! Myślę, że samo przyznanie się do strachu wymaga wielkiej odwagi. Ale kiedy już się przyznasz, że się boisz, możesz dać sobie wsparcie. I miłość – bo tylko ona potrafi ten strach pokonać.

Dlatego nigdy nie mówię „Nie bój się", kiedy widzę, że ktoś stoi nad brzegiem nieznanego oceanu i zastanawia się czy skoczyć. Strach przed dokonaniem ważnej zmiany w życiu też jest jak wielkie prześcieradło.

Ja też kiedyś stałam nad brzegiem oceanu – w przenośni – i byłam gotowa skoczyć w nowe, lepsze życie, ale coś mnie powstrzymywało.

– Nie bój się! – powiedziałam do siebie, ale natychmiast też sobie odpowiedziałam:

– A właśnie że się boję! I chcę się bać! Boję się, bo nie wiem co będzie kiedy skoczę. A jeśli to zrobię, to przecież nie będę mogła już tego cofnąć. Więc to chyba dobrze, że się boję, bo gdybym się nie bała, to skakałabym do każdej mętnej wody na główkę.

– Kocham cię – powiedziałam do siebie.

Tylko tyle.

I to wystarczy.

Bo kiedy wiesz, że możesz na siebie liczyć, to wszystko staje się prostsze. Bo nawet jeśli okaże się, że w tym nowym życiu na początku jest trudno, zawsze przecież jest z tobą twój najlepszy przyjaciel – czyli ty.

A poza tym strach przed podjęciem nowej decyzji to zwykle po prostu strach przed dokonaniem jakiejkolwiek zmiany. Twoja przestraszona podświadomość nalega, że lepiej niczego nie ruszać, niczego nie zmieniać, bo przecież jest dobrze tak jak jest.

I kiedy to odkryłam, zadałam sobie następne pytanie:

– Dobrze. W takim razie powiedz czego konkretnie się boisz? Nazwij swój strach.

– Boję się, że podejmę złą decyzję.

– Jeśli podejmiesz złą, to przecież zawsze możesz podjąć następną, która ją naprawi.

– Boję się, że mogę stracić coś, co będzie niemożliwe do odzyskania.

– Jeśli jesteś przekonana, że to, co mogłabyś stracić jest czymś, bez czego nie chcesz dalej żyć, to zmień decyzję. I zostań w miejscu, gdzie jesteś teraz.

Nie zmuszaj się do niczego.

Jeśli będziesz uczciwa wobec siebie, twoje serce powie ci co zrobić i wtedy będziesz tego pewna.

Przy takich trudnych decyzjach zastanawiam się jakie jest niebezpieczeństwo. Co mogę stracić, a co ewentualnie zyskać. I wtedy decyduję czy ten skok jest wart ryzyka, które się z nim wiąże. Albo postanawiam, że teraz w ogóle nie chcę podejmować decyzji w tej sprawie, bo po prostu nie wiem.

To jest konstruktywne podejście do sprawy. Wtedy przestałam zajmować się wyłącznie rozmyślaniem o strachu, który mnie paraliżował i uniemożliwiał zrobienie czegokolwiek.

Nie bój się strachu. Jeśli on w tobie jest, to ukrywanie go albo okłamywanie samej siebie w niczym ci nie pomoże. Wtedy tylko ten strach ukryjesz jeszcze głębiej. I to on będzie nieświadomie kierował twoim życiem.

Nazwij swój strach.
Przyznaj się do niego przed samą sobą.
Zapytaj czego dokładnie się boisz.

Bo być może boisz się po prostu wszystkiego, co zmieni świat, który sobie zbudowałaś? Jeśli tak jest, to czy naprawdę chcesz stać w miejscu do końca życia?...

Ja przyznaję się do strachu przed samą sobą.
I od razu wtedy pytam siebie uczciwie skąd ten strach się bierze i czego naprawdę dotyczy. A potem staram się podjąć świadomą decyzję.

I zawsze zadaję sobie pytanie:
– Czy naprawdę tego chcesz?

I słucham tego, co mówi moja dusza.

A ponieważ od dawna jestem swoim przyjacielem, moja dusza wie, że nie ma sensu kręcić i zmyślać, tylko najlepiej mówić od razu całą prawdę i czystą prawdę.

Dlaczego boję się zmienić pracę?

Może dlatego, że nie mam zaufania do siebie i nie wiem czy sobie poradzę?

A może dlatego, że boję się co pomyślą o tym inni ludzie?

A może dlatego, że boję się jakiejkolwiek zmiany w życiu?

Kiedy znam prawdziwe źródło mojego strachu, mogę go łatwo wyleczyć.

I jeśli czuję, że boję się coś zrobić tylko dlatego, że chcę uniknąć jakiejkolwiek zmiany, to wiem, że nadszedł ważny moment. Teraz chcę pokonać strach, który będzie mi przeszkadzał w drodze do celu. Biorę głęboki oddech, liczę do trzech i... ufam swojemu wyborowi i swojej decyzji. Robię rok naprzód. Podejmuje decyzję. i Odrzucam strach. A on znika.

Jeżeli na pytanie „Czy naprawdę tego chcesz?" odpowiedź nie jest jednoznaczna, jeżeli się wahasz, albo jeżeli przy podejmowaniu decyzji kierują tobą negatywne emocje – jesteś zła, wściekła, chcesz się zemścić albo komuś dopiec – to nie rób tego.

Złość, nienawiść, zazdrość i żal to najgorsi doradcy, jakich można sobie wyobrazić.

Jeśli będziesz ich słuchać, to niechcący możesz wyrządzić krzywdę nie tylko drugiemu człowiekowi, ale i samej sobie.

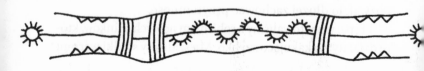

ROZDZIAŁ 33

Alkohol

Lubiłam pić. Szczególnie jako nastolatka. Nie tylko dlatego, że robiłam coś, co było zarezerwowane dla dorosłych, ale także dlatego, że pod wpływem alkoholu stawałam się zupełnie inną osobą i bardzo mi się to podobało.

Organizowaliśmy wielkie imprezy, które kończyły się nad ranem. Najczęściej w domu Krzyśka, którego rodzice byli rozwiedzeni i nie śledzili zbyt pilnie tego, co robi ich syn z przyjaciółmi. Zbieraliśmy się w piątek wieczorem, słuchaliśmy płyt, piliśmy i jedliśmy. Pewnego dnia moja przyjaciółka, Maryla, odkryła, że jeśli podczas imprezy zjesz samo masło, to będziesz dłużej trzeźwy. Więc robiłyśmy sobie mikroskopijne kanapki z maleńkiego kawałka chleba i wielkiej grudy masła. Smakowało okropnie, ale rzeczywiście pozwalało dłużej zachować przytomność.

Eksperymentowaliśmy z robieniem nowych drinków, które działały zaskakująco szybko. Mieszaliśmy słodki wermut z wytrawnym winem i wódką. Nawet nie pamiętam skąd braliśmy na to pieniądze, wszyscy przecież byliśmy uczniami średniej szkoły. Nie pracowaliśmy, nie zarabialiśmy.

Na imprezę każdy przychodził z czymś do jedzenia – były ciasta, sałatki, talerze z wędlinami, sery – wyciągnięte z kuchni i lodówki rodziców, własnoręcznie przyrządzone i ozdobione wielką ilością majonezu, cukru i czekolady. Alkohol musieliśmy kupować w sklepie. Za co?... Musieliśmy dostawać te pieniądze od rodziców.

Już po kilku pierwszych łykach wina atmosfera stawała się wesoła. Nad stołem kwitła radość, przyjaźń i chęć zabawy. Opowiadaliśmy dowcipy, śmialiśmy się głośno, piliśmy kolejne drinki, tańczyliśmy, znowu opowiadaliśmy dowcipy i piliśmy tak długo, aż przyjemne oszołomienie zamieniało się w dokuczliwy ścisk żołądka.

Po kilku godzinach przychodził moment, kiedy nikt już nie chciał więcej pić ani jeść, nikt nie miał siły utrzymać się na nogach, wszyscy byliśmy zmęczeni, pijani, bezsilni i zamiast czuć się jak dotąd fantastycznie, czuliśmy się koszmarnie. Wtedy szliśmy spać.

Przebudzenie po imprezie było ciężkie. Budziłam po południu, z bólem głowy i żołądka. Czasem przychodziła mama Krzyśka i z troską pytała:

– Odbija ci się? No powiedz, odbija ci się?

Miałam tylko tyle siły, żeby kiwnąć głową.

– To dobrze – mówiła mama Krzyśka. – To znaczy, że żołądek pracuje. Chodź, napij się herbaty.

Spotykaliśmy się w kuchni – bladzi i zatruci. Ktoś stawiał przed nami szklanki w metalowych siatkach i po łyku piliśmy diabelnie mocną herbatę, po której wracała trzeźwość myślenia, ale żołądek nie przestawał boleć.

Czasem po obudzeniu nie pamiętałam niczego, co się wcześniej działo. Maryla opowiadała, że tańczyłam ze wszystkimi i chciałam się całować z chłopakami. Nic nie pamiętałam, nawet tego, że kiedy ktoś zaniósł mnie do łóżka, zwymiotowałam na siebie, bo nie miałam siły wstać i pójść do łazienki.

Pewnego dnia zauważyłam dziwną zależność: po wypiciu kieliszka alkoholu poprawia mi się humor, czuję się pewna siebie, jestem mocna, odważna i fajna.

To było super uczucie. Ale jakoś dziwnie szybko mijało i zaczynało się zamieniać w rozpacz, niechęć, beznadzieję, bezradność i apatię. Najpierw dawało kopa w górę, a potem tak samo mocnego kopa w dół.

Pomyślałam, że to dziwne.

Zaczęłam się zastanawiać.

Jak to jest? O co w tym chodzi?

Zaczęłam przyglądać się sobie. Dlaczego alkohol powoduje taką iluzję? Dlaczego czuję się silna, mądra i wspaniała jeżeli w rzeczywistości wcale nie jestem silna, mądra i wspaniała? A może ja jestem silna, mocna i wspaniała, tylko o tym nie wiem? Ale co z tym wspólnego ma alkohol?

To było niesamowite!

To było trochę jak czarodziejska różdżka, która zamieniała mnie w kogoś, kim bardzo chciałabym być, ale tylko na krótką chwilę, bo potem wpadałam do czarnej dziury koszmarnej rozpaczy i nienawiści do samej siebie.

Ha! Jak to możliwe?

Czy w gruncie rzeczy to nie jest oszukiwanie samego siebie?

Czuję się słaba, głupia, gorsza od innych, więc sięgam po magiczny kieliszek, wypijam alkohol, żeby poczuć się lepiej. I rzeczywiście przez chwilę czuję się lepiej, ale przecież ja się nie zmieniam w środku na kogoś lepszego! Ja tylko udaję przed samą sobą, że jestem kimś innym!

O rety!!!

Niespodziewanie dotarła do mnie porażająca prawda:

Alkohol jest dla słabych ludzi, którzy pod jego wpływem myślą, że są silni. Ale gdy tylko alkohol wyparuje, oni z powrotem zamieniają się w tych, którymi są naprawdę, i tym wyraźniej dostrzegają swoje braki.

Po alkohol sięgają tchórze – ludzie, którzy nie mają odwagi zająć się konstruktywnym budowaniem swojego życia.

Nie chcą myśleć o tym, co jest do zrobienia, bo wolą zapomnieć o wszystkim i przetrwać do następnego dnia.

Noszą w sobie tyle ukrytego strachu, że czują się sparaliżowani na samą myśl o tym, że mogliby wziąć odpowiedzialność za swoje życie i urządzić je tak, jak najbardziej

Alkohol jest dla słabych ludzi, którzy pod jego wpływem myślą, że są silni

pragną. Ten głęboko ukryty strach, do którego nigdy się nie przyznali, odbiera im całą moc.

Czują się bezradni i zagubieni w ślepym zaułku, z którego nie ma wyjścia.

I wtedy sięgają po alkohol.

Bo wiedzą z doświadczenia, że pod wpływem alkoholu nagle wszystko wydaje się możliwe. Po pijanemu planują podróż na Hawaje, zdobycie Kilimandżaro, rozwód z niekochaną żoną, wygarnięcie prawdy szefowi, przebudowę domu i wiele innych spraw, które domagają się rozwiązania.

Kiedy byli trzeźwi, czuli podświadomy paraliżujący strach przed zrobieniem czegokolwiek.

Kiedy są pijani, strach wydaje się na chwilę znikać. A oni odważnie ogłaszają nowe postanowienia.

Problem polega jedynie na tym, że te postanowienia bledną razem ze światłem poranka. A życie wciąż jest tak samo nudne i trudne jak było wcześniej.

Bo alkohol w gruncie rzeczy wcale mnie zmniejsza strachu. On tylko tworzy iluzję, że tego strachu nie ma.

Dlatego po alkohol sięgają ludzie, którym brakuje wewnętrznej siły, żeby doprowadzić do realizacji swoich planów i zamierzeń. Czują z tego powodu żal i rozczarowanie, więc zalewają swój smutek płynem rozweselającym.

Po alkohol sięgają ludzie głęboko nieszczęśliwi, którzy nigdy nie zrobili niczego dla siebie i czują się opuszczonymi sierotami miotanymi przez wichurę życia. W alkoholu trawią swoje gorzkie myśli.

Szukają chwilowej iluzji.

Chcą zapomnieć.

Bo przecież to chwilowe wrażenie wesołości szybko znika, a ty zostajesz znów dokładnie z tym samym, co miałeś wcześniej.

Przez całe życie widziałam ludzi pijących alkohol. Sąsiedzi, znajomi, bohaterowie filmów, imprezy aż do rana, gdzie spotykali się ludzie rozbawieni alkoholem. Najpierw tryskali energią i radością, a potem zaczynali kłócić się ze sobą i walczyć.

Alkohol jest w Polsce codzienny jak kromka chleba.

Pamiętam, że podczas warsztatów literackich organizowanych przez Korespondencyjny Klub Młodych Pisarzy po porannych dyskusjach o poezji i prozie, następowały wieczorne rozmowy suto zakrapiane alkoholem. Miałam wtedy osiemnaście lat. Koledzy „młodzi literaci" podsuwali mi szklankę wina ze słowami:

— Pij, będziesz łatwiejsza.

Nie chciałam. Coś mi w tym nie pasowało, choć nie potrafiłam jeszcze wtedy tego wyjaśnić.

Teraz wiem, że alkohol to oszustwo i spróchniała deska ratunku dla zbłąkanych we własnym życiu.

Alkoholik to taki człowiek, który zamiast wylewać z siebie łzy, wlewa w siebie alkohol.

Uzależnienie od alkoholu to choroba samotności, zagubienia i bezradności. Nie ma nic wspólnego z pijaństwem. Alkoholik to człowiek, który stracił w życiu sens i cel, więc swoją bierność i bezradność zalewa alkoholem. Wie, że źle robi, ma wyrzuty sumienia, po których czuje się jeszcze gorzej, ale ponieważ jest wewnętrznie samotny i przestraszony jak małe dziecko, to jedyne, na co potrafi się zdobyć, to chwilowe uciszenie swoich łkających myśli alkoholem.

Jeżeli znasz kogoś, kto nadużywa alkoholu, spójrz na niego w taki sposób.

To jest człowiek, który nosi w sobie tyle strachu, którego nigdy nie poznał i nie nazwał przed samym sobą, że jest w pewien sposób emocjonalnie sparaliżowany. Miota się jak w potrzasku. Jest w głębi duszy bardzo samotny i bardzo nieszczęśliwy – nawet jeżeli na zewnątrz udaje kogoś przebojowego i silnego.

Na tym polega ta choroba.
Ukrywa przed człowiekiem jego własny strach i niemoc.
I pęta go żelaznymi kajdanami.

To jest dokładnie taka sama choroba jak anoreksja i bulimia.
I jest na nią tylko jedno lekarstwo.

Jedyne, co może człowieka uwolnić z takiego uzależnienia, to miłość. Nie mam na myśli związku dwóch osób. Mam na myśli poczucie, że jest się kochanym. Choćby przez siebie samego.

ROZDZIAŁ 34

Szukaj prawdy

Wiesz dlaczego piszę tak dokładnie o uzależnieniu od alkoholu?

Bo mało brakowało, żebym sama w nie wpadła.

I pewnie cię zaskoczę, ale to się staje bardzo szybko i w sposób prawie niezauważalny.

Zaczyna się od tego, że człowiek wypija kieliszek na poprawę humoru.

Alkohol to syntetyczna substancja wyprodukowana w trakcie długiego chemicznego procesu. Czy naprawdę myślisz, że chemiczny płyn naprawi twoje myślenie o sobie samym albo o świecie?

Nie ma takiej możliwości.

Chemiczny płyn może tylko dać ci pozór, że coś naprawia. Ale w gruncie rzeczy twoje życie i myślenie jest wciąż takie samo jak było wcześniej.

Zmienia się tylko jedno.

Organizm fizycznie zaczyna się przyzwyczajać do alkoholu. Uzależnia się od niego. To dlatego już jeden kieliszek nie wystarcza. Musisz wypić dwa. A jeżeli czujesz, że musisz, to jesteś uzależniony.

Taka jest prawda o alkoholu.

I pewnie nikt ci tego wcześniej nie powiedział.
Bo kto miałby ci powiedzieć?
Ludzie, którzy sami lubią sobie pociągnąć z butelki?

Alkohol ma wpływ na emocje i kontakt ze światem.
Jeżeli znasz kogoś, kto codziennie wieczorem musi sobie golnąć kieliszeczek albo wypić piwo „na uspokojenie", to na pewno zauważysz, że ten ktoś stopniowo coraz bardziej przestaje kontrolować swoje emocje.

Staje się coraz bardziej zamknięty w sobie. Coraz trudniej nawiązać z nim prawdziwe, głębokie porozumienie. Jest jakby za plastikową szybą. Widzisz go, ale nie możesz nawiązać z nim prawdziwego kontaktu.

Ten ktoś jest często uprzedzająco grzeczny, uprzejmy i uczynny aż do przesady. Ale w innych sytuacjach zbyt łatwo wpada w gniew, jest wściekle zimny i odpychający.

Alkoholizm to uzależnienie od swojego zagubienia, braku pewności siebie, bezradności i strachu. Człowiek pije wtedy po to, żeby choć na chwilę się z tych stanów wyzwolić, ale na skutek alkoholu jeszcze głębiej w nie wpada.

Coraz trudniej się wtedy z tego uwolnić.
Ja też tak się czułam.

Kiedy zaczęłam studiować anglistykę, codziennie przeżywałam rozczarowanie związane z tym jak naprawdę wyglądają studia. I coraz częściej sięgałam po alkohol. Okazji nie brakowało. Ciągle ktoś organizował imprezy.

Na początku wszyscy zawsze pili wino, żeby wprawić się w lepszy nastrój. Dziewczyny po winie były bardziej odważne, a chłopcy wydawali się bardziej przystojni. Wszyscy byli mili. Wszyscy bełkotali coś niewyraźnie i głośno się śmiali. Podobało mi się. Pociągało mnie to, że jesteśmy „wolni", że w powietrzu krążą niedopowiedziane obietnice, seks, flirt, zauroczenie.

Tak naprawdę najbardziej pociągało mnie w tym to, że kiedy ktoś mnie przytuli, poczuję się wreszcie zaopiekowana i bezpieczna – ale wtedy zupełnie nie zdawałam sobie z tego sprawy.

Podobało mi się to, że dzięki imprezom mogę zapomnieć o tym, co mi się nie podoba na studiach i we mnie samej. Żyłam od imprezy do imprezy. Czas pomiędzy nimi wypełniałam tym, co trzeba było zrobić, ale bez szczególnej uwagi ani poświęcenia. Bardziej zajmowało mnie to gdzie pójdę, kogo spotkam i czy będzie tam ten przystojniak, który chciał się ze mną całować.

To właśnie w ten sposób ludzie zapominają o swoich marzeniach z młodości i wkraczają w „dorosły" świat, gdzie można sobie dopalić rzeczywistość alkoholem i jakoś poturlać się dalej do przodu.

To najgłupsze, co można zrobić ze swoim życiem.

To zwyczajne kłamstwo.
Kłamstwo, które doprowadzi cię do ślepej ściany.
Nie zmarnuj swojego życia w tak bezsensowny sposób.

Ja w porę zostałam ocalona.
Ciągle słyszałam mój wewnętrzny głos, który nigdy się na to nie zgadzał.
Wychowałam się w takim samym świecie jak twój – gdzie alkohol to rzecz normalna i naturalna, a ludzie zwyczajnie często go piją. Niby w sklepie jest napisane, że alkohol szkodzi i wywołuje choroby, ale nauczyliśmy się nie dostrzegać tych napisów. Prawda?
A jednak zawsze gdzieś w głębi duszy uważałam, że to jest złe.
A teraz wiem to na pewno.
I powiem ci tylko tyle:

Alkohol to kłamstwo, które człowiek wypija, żeby zobaczyć siebie i swoje życie w ładniejszych kolorach.
Kiedy pijesz regularnie, twój organizm przyzwyczaja się i potrzebuje coraz więcej alkoholu. Wtedy musisz pić, niezależnie od tego, czy wciąż chcesz. Bo jesteś uzależniony.
Uzależnienie to choroba i niewola.
Czy naprawdę tego chcesz?

Alkohol nie jest potrzebny do tego, żeby być szczęśliwym.

Alkohol daje tylko pozór i iluzję.

Jeśli chcesz znaleźć prawdę, musisz być trzeźwy.

Myśl.
Działaj.
Spełniaj swoje marzenia.
Bądź sobą.
Miej odwagę słuchać tego, co ci w duszy gra.
Idź do przodu.
Zadbaj o swoje życie.
Życie to przecież najlepsza rzecz, jaka mogła ci się przytrafić tu na Ziemi.

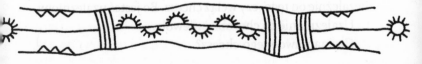

ROZDZIAŁ 35

Anoreksja

Anoreksja to torturowanie własnego ciała, żeby stworzyć pozór, że masz kontrolę nad swoim życiem i jesteś taki, jakim chcesz być.

Ale tylko pozór. Iluzję.

Bo tak naprawdę w swoich myślach jesteś wciąż tą samą nienawidzącą siebie, zagubioną i nieakceptowaną przez siebie osobą. Jesteś swoim największym wrogiem. I to właśnie dlatego jesteś nieszczęśliwa.

Anoreksja to rodzaj oszustwa, tak samo jak w przypadku alkoholu. Tyle że szybciej się kończy, bo człowiek prędzej od tego umiera.

Ale dopóki trwa, staje się przewrotną przyjemnością.

Wszyscy ludzie jedzą, a ja nie jem i nikt o tym nie wie. To jest moja tajemnica, mój sekret, dzięki któremu jestem coraz chudsza i coraz piękniejsza. Nareszcie jestem taka, jak zawsze chciałam być! Udowadniam sobie, że mam władzę i kontrolę nad swoim życiem. Postanowiłam, że nie będę jeść – i nie jem.

Ja też tak myślałam. Kiedy przestałam jeść, wydawało mi się, że w ten sposób błyskawicznie rozwiązałam moje największe problemy: byłam gruba, brzydka i niezadowolona ze swojego życia.

Na początku oczywiście nie zdawałam sobie z tego sprawy.

Dopiero dzisiaj widzę jakimi krętymi ścieżkami biegły moje myśli, żeby doprowadzić mnie w końcu do tak fantastycznie beznadziejnego rozwiązania, jakim jest głodówka.

Jeżeli i ty cierpisz na anoreksję, to uprzejmie Cię informuję, że głodzenie się to pułapka i zniewolenie, które prowadzą do śmierci. I tak naprawdę nigdy nie chodziło o to, że jesteś za gruba.

Od początku chodziło o to, że nie wiesz co zrobić ze swoim życiem, czujesz się nieszczęśliwa, samotna, nielubiana, nieakceptowana i obca. Masz poczucie, że nikt cię nie rozumie – ani rodzice, ani przyjaciel, ani tym bardziej nauczyciele i inni dorośli. Nie masz z kim porozmawiać. Czujesz się zniewolona i nienawidzisz samej siebie za to, że tak się czujesz.

Tak?

Nawet jeśli pozornie wszystko jest w porządku. Masz ładny, czysty dom, twoja mama ciągle pyta dlaczego płaczesz, a ty po prostu nie wiesz co odpowiedzieć. Bo nie istnieje taka odpowiedź, która mogłaby opisać twój stan.

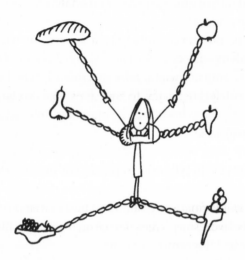

Anoreksja po pewnym czasie przestaje być kwestią wyboru i przyjemnością. Człowiek staje się uzależniony od niejedzenia

Czujesz się po prostu dziwnie. Źle. Jak zaszczute zwierzę. Jak przybysz z obcej planety. Jak bezbronne dziecko wśród stalowych potworów.

To budzi twój gniew, sprzeciw, nienawiść.

Tak się czujesz?

Nie masz pojęcia co zrobić z tym wszystkim, więc wpadasz na jedyny – jak ci się wydaje – skuteczny sposób. Skoro nie możesz zmusić świata, żeby się zmienił, żeby był inny, lepszy i bardziej kochający, to zmusisz siebie do cierpienia, żeby samej sobie udowodnić, że masz nad sobą władzę.

I przestajesz jeść.

Ale przecież to tylko złudzenie, że coś możesz zmienić.

Cały Twój zagmatwany, samotny i pusty świat pozostanie taki, jaki był wcześniej – niezależnie od tego, czy schudniesz o trzydzieści kilogramów, czy nie.

Jedyna różnica będzie taka, że kiedy zostanie z Ciebie połowa, to organizm przestanie z Tobą współpracować i zgaśnie jak przeciążona żarówka.

Pamiętam jakie miałam poczucie własnej siły, kiedy wszyscy mówili:

– Zjedz coś, ty nic nie jesz!

A ja odpowiadałam:

– Przecież dopiero co jadłam! Zjadłam tyle, że aż nie mogę oddychać!

Bardzo lubiłam wtedy gotować, syciłam się myśleniem o tym, że inni ludzie jedzą. Nakładałam im wielkie porcje, zdobiłam szczypiorkiem, starałam się, żeby ładnie wyglądało i pachniało. Wszyscy siadali do stołu, ja przynosiłam talerze, stawiałam parujące półmiski i wazy, a sama wracałam do kuchni.

– A ty, nie zjesz z nami? Przecież nie jadłaś nic od rana!

– Jadłam! – mówiłam ze śmiechem. – Przecież jadłam cały czas podczas gotowania! Taką miałam ochotę, że jadłam prosto z garnka!

I cieszyłam się, że tak łatwo można ich oszukać i że tak szybko mi uwierzyli.

Ktoś zauważył, że „od rana" nic nie jadłam. A ja przecież nie jadłam niczego od wielu dni! Pozwalałam sobie tylko pić wodę z kranu.

Ja chciałam cierpieć.

Świadomie i z rozmysłem zmuszałam się do głodówki za karę.

Brałam kawałek czekolady, wąchałam ją, a potem wypijałam szklankę wody i czułam się tak, jakbym była jednocześnie surowym nauczycielem i nieposłusznym dzieckiem, któremu wymierzam karę. I byłam przekonana, że na nią zasłużyłam.

Czym?...

Całym swoim dotychczasowym życiem. Czułam się jak niewolnik, jak piórko na wietrze rzucane o ściany. Chciałam, żeby było inaczej, ale nie byłam w stanie zrobić nic, żeby to zmienić. Nie lubiłam siebie.

Najbardziej nie lubiłam siebie wtedy, kiedy usiłowałam odgadnąć co myślą o mnie inni ludzie. Zawsze wtedy dochodziłam do wniosku, że oni też mnie nie lubią, uważają mnie za brzydką, nudną, głupią i grubą.

Myślałam wtedy, że nie mogę zmienić tego, że jestem brzydka. Ani tego, że jestem nudna. A tego, że jestem głupia? No, może nie jestem aż tak bardzo głupia, ale czy ja jestem mądra? Raczej nie. Więc pewnie oni mają rację.

Ale przynajmniej raz wezmę się za siebie i schudnę. A poza tym jeżeli jestem taka beznadziejna, to należy mi się kara. Przestanę jeść. W ogóle. To jedyny skuteczny sposób. Tak mi się wydawało.

Ach! Byłam dla siebie najgorszym wrogiem.

Czy wiesz czego mi naprawdę wtedy brakowało?
Przyjaźni do samej siebie.

Wolałam siebie chłostać batem niż przytulić i zaopiekować się sobą.

Byłam dla siebie surowym, nieakceptującym, odtrącającym rodzicem. A jednocześnie byłam dzieckiem, które potrzebowało akceptacji, miłości i bezpieczeństwa.

Jako surowy, nieakceptujący rodzic podejmowałam decyzje podszyte strachem, lenistwem i niechęcią.

Jeżeli naprawdę chciałam wtedy schudnąć, powinnam była przejść na mądrą dietę. Uprawiać sport, ograniczyć jedzenie niezdrowych rzeczy (takich jak słodycze czy fast food), a zamiast nich zacząć jeść zdrowo.

Nie lubiłam samej siebie i czułam do siebie niechęć. Miałam straszne kompleksy i w gruncie rzeczy tylko pozornie usiłowałam coś zmienić w życiu.

Bo czy przez odchudzanie zmienią się moje myśli? Moja wewnętrzna pustka? Moja niechęć do samej siebie?

Nie.

Jeżeli naprawdę chcesz zmienić swoje życie, zaopiekuj się sobą z życzliwością, przyjaźnią i miłością do wewnętrznego dziecka, jakie w tobie żyje i czeka.

Tylko wtedy możesz coś skutecznie i mądrze zmienić.

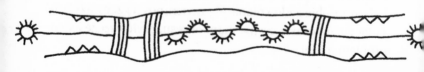

Uzależniona
od niejedzenia

Wtedy jednak o tym wszystkim nie wiedziałam.
Nienawidziłam siebie. Postanowiłam schudnąć wreszcie
raz na zawsze i przestałam jeść.

Na początku to było fantastyczne uczucie. Zaczęłam
czerpać przyjemność z tego, że odmawiam sobie jeszcze
jednego posiłku. Ważyłam trzydzieści cztery kilo. Skóra
i kości. Kiedy piłam wodę, czułam jak przepływa przez
moje wnętrzności.

Czułam się świetnie. Przestałam chorować na zwykłe
przeziębienia i grypy. Trochę przeszkadzało mi to, że jestem
blada, tracę dużo włosów i czasem ogarnia mnie taka niemoc i słabość, że padam na łóżko i leżę bez sił, ale ogólnie
byłam z siebie zadowolona. Z przyjemnością zauważyłam
po pewnym czasie, że nie mam okresu, czyli jeszcze jeden
problem mniej.

Z anoreksją jest tak jak z paleniem papierosów – po jakimś czasie przestaje być kwestią wyboru i przyjemnością. Człowiek staje się uzależniony – od niejedzenia.

Miałam trochę ponad dwadzieścia lat. Słowo „anoreksja" jeszcze nie istniało w języku polskim, nikt o tym nie mówił i nie pisał. Byłam po prostu chuda i coraz chudsza, i chciałam w ten sposób zyskać kontrolę nad swoim życiem.

Skoncentrowałam się na doprowadzeniu mojego ciała do idealnego wyglądu. Zawsze chciałam być płaska jak deska i teraz wreszcie byłam! Odniosłam sukces!

Dziwne jednak wydało mi się to, że moje ciało jakby... zaczyna funkcjonować w całkiem inny sposób. Miałam coraz mniej siły. Zwykłe wejście po schodach było jak wspinaczka na Mount Everest. Moja skóra była cienka i sucha jak papier. Oczy podkrążone. Traciłam włosy i jakby... traciłam siebie. Traciłam siły, chęć do myślenia i zrobienia czegokolwiek.

I wpadłam wtedy na szalony pomysł.

Poszłam do lekarza zapytać czy wszystko ze mną jest w porządku.

Pani doktor zapytała czy jestem chora.

– Nie, skąd! – odpowiedziałam.

– A mnie się zdaje, że to anoreksja – odpowiedziała lekarka i to słowo zawisło w gabinecie jak przepowiednia.

Usłyszałam je wtedy po raz pierwszy w życiu. Przypominam, że to były czasy przed Internetem, przed wieloma kanałami w telewizji i kolorowymi czasopismami. Naprawdę. W telewizji były tylko dwa kanały, listy pisało się ręcznie, telefon był tylko stacjonarny, a gazety drukowano na szarym papierze.

Anoreksja? Dziwnie brzmiało to słowo. Zapisałam je sobie w pamięci, żeby sprawdzić o co chodzi. Tymczasem dowiedziałam się, że jeśli nie zmienię trybu życia i sposobu odżywiania się (ha, ha, ha, jak to zabawnie wtedy zabrzmiało!), to lada moment w moim organizmie dokonają się nieodwracalne zmiany, których pewnie bym sobie nie życzyła.

Obok słowa „anoreksja" w powietrzu zabrzmiało też niewidzialne słowo „śmierć".

Byłam zdumiona.

A pani doktor w pewnej chwili zawołała do swojej asystentki:

– Chodź, chodź! Zobacz, na pewno nigdy wcześniej nie widziałaś takiej mikroskopijnej macicy! Ona zanika!

To był szok.

Dowiedziałam się, że moje odchudzanie doprowadziło do wykorzystania wszystkich zapasów organizmu i ogólnego wycieńczenia. A niektóre moje organy wewnętrzne – te, które nie były niezbędne do codziennego funkcjonowania – zaczynają zanikać! Żeby dodatkowo nie obciążać wycieńczonego ciała!

Aaaaaaaaaaaaa! Nagle poczułam strach!

Jak to??!!!

Miałam w środku różne narządy wewnętrzne, a teraz one nagle zaczynają ZANIKAĆ??!!!

Jezu!!! Jeśli teraz zanikają te mniej ważne, to za chwilę może zacznie też zanikać moje serce?!!!...

Nagle obudziła się we mnie chęć życia!

Ja nie chciałam tak po prostu zniknąć!

W pośpiechu wróciłam do domu.
Co to jest ta „anoreksja"?!
Dlaczego ja ją mam?
Przecież „choroba" to jest coś, co można złapać albo się zarazić, a ja??.... Przecież ja się tylko odchudzałam!
Pobiegłam do półki z książkami. W encyklopedii w ogóle nie było takiego hasła. Internet jeszcze nie został wynaleziony, tak samo jak nie istniała jeszcze poczta elektroniczna i powszechny dostęp do komputerów. Książki pisałam wtedy na maszynie, muzyki słuchałam z czarnych płyt i kaset magnetofonowych. Powoli zaczynały się pojawiać płyty kompaktowe. Nie istniało wtedy nawet tyle pism dla kobiet i młodzieży, jak teraz. Byłam więc ze swoim problemem sama.

W końcu w najnowszym „Słowniku wyrazów obcych" znalazłam wyjaśnienie tego dziwnego słowa:

Anoreksja – med. brak łaknienia występujący w niektórych chorobach przewodu pokarmowego, gruczołów dokrewnych, w zatruciach, chorobach psychicznych i nerwowych. <an- + gr. óreksis 'pożądanie, apetyt'>.
Hm.
Myślę, że to jest myląca definicja, bo nic nie mówi o tym, że anoreksja to jest choroba emocji. Choroba twojej duszy. Twoich myśli.
Anoreksja to chęć samozniszczenia wynikająca z obezwładniającej ilości strachu zakodowanego w twojej podświadomości.

Strach karmi się nienawiścią, niechęcią, walką z samym sobą, krytykowaniem, odrzucaniem, lękiem przed zaakceptowaniem.

Anoreksja to strach i nienawiść, które prowadzą do wyniszczenia organizmu i do zadania sobie śmierci z głodu.

Taką definicję anoreksji napisałabym dziś.

Ale wtedy wiedziałam tylko tyle, że zaczyna się ze mną dziać coś, czego nie chciałam. I znów w ostatniej chwili przywołał mnie do rozsądku mój wewnętrzny głos, który tyle razy wcześniej ochronił mnie przed zrobieniem innych autodestrukcyjnych rzeczy, takich jak choćby narkotyki.

Uświadomiłam sobie, że mam problem i muszę go rozwiązać.

Człowiek chory na anoreksję albo umiera, albo zaczyna jeść.

Wybrałam to drugie. Chyba trudniejsze. Niejedzenie z każdym dniem stawało się coraz bardziej wciągające. Byłam uzależniona od głodowania. Sprawiało mi przyjemność. W gwałtownym i nieprzewidywalnym świecie dookoła to jedno było pewne: jestem chuda i potrafię znakomicie panować nad swoim głodem. Miłe uczucie. Dawało namiastkę bezpieczeństwa i pewności siebie.

Tak wielkiej, że wreszcie postanowiłam zmienić wszystko.

Postanowiłam zacząć spełniać moje marzenia. Nie wiedziałam co dokładnie chcę zrobić ani jak, ale myślałam, że „jakoś będzie".

I jakoś było.

Wyjechałam do Londynu, gdzie najpierw straciłam przytomność paląc marihuanę, potem pracowałam jako sprzątaczka w hotelu i kelnerka w greckim barze, aż w końcu zostałam zgwałcona.

I zaczęłam wreszcie jeść. Powoli, stopniowo, coraz bardziej przyzwyczajałam się do myśli, że jedzenie nie tylko daje siłę do życia, ale także bywa smaczne i może być źródłem przyjemności.

Bardzo dużo pisałam. Opowiadania, wiersze, reportaże. To mnie utrzymywało na powierzchni.

Aż w końcu pewnego dnia poczułam, że nie muszę się już karać.

Wreszcie mam to, co chciałam: mieszkam w Londynie, zarabiam pieniądze, jestem wolna. Mogę robić co zechcę.

Niestety.

Brakowało mi dwóch najważniejszych rzeczy: zaufania do samej siebie i wiary we własne siły.

Wciąż byłam przecież tą samą zakompleksioną, samotną dziewczyną, która nie miała przyjaciół i czuła się zagubiona.

Nie lubiłam siebie. Oceniałam siebie oczami innych ludzi. Krytykowałam siebie bezlitośnie. Odbierałam sobie samej siłę. I nigdy nie byłam w stanie dać sobie tego, czego można oczekiwać od przyjaciela – wsparcia, zachęty, pochwały, przyjaźni.

I chociaż przyjechałam do Londynu, żeby wziąć życie we własne ręce i pokierować nim tak, jak najbardziej pragnęłam, to w rzeczywistości wcale nie byłam na to gotowa i nie miałam żadnego pomysłu jak to zrealizować.

Znowu zadowoliłam się stworzeniem pozoru. Uciekłam z Polski i przeprowadziłam się do Londynu.

Ale co z tego?...
Przecież zabrałam ze sobą wszystkie moje problemy, kompleksy i niechęć do samej siebie.

Na początku byłam szczęśliwa.
Wszystko było nowe i ciekawe.
Musiałam odnaleźć się w całkiem innej rzeczywistości, więc moje wcześniejsze kłopoty odeszły na drugi plan. Po kilku miesiącach jednak wróciły.

Tak, tak. Bo kłopoty trzeba ROZWIĄZYWAĆ, a nie ukrywać je pod nowymi wrażeniami czy podróżami.

Znalazłam się więc w Londynie z całym bagażem wcześniejszego niezadowolenia, brakiem spełnienia, nienawiścią do siebie i wewnętrzną pustką.

Wtedy z anoreksji wpadłam w bulimię.

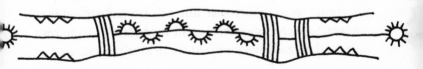

ROZDZIAŁ 37

Bulimia

Bulimia to druga strona anoreksji.

Najpierw uzależniasz się od głodowania, bo chcesz siebie ukarać za to, że samej siebie tak bardzo nienawidzisz.

A potem stajesz się niewolnikiem obżerania, które podświadomie ma tę nienawiść wyleczyć.

Bulimia to stan, kiedy pękają bariery i hamulce, które wcześniej tak surowo i nienawistnie przed sobą postawiłeś, żeby wymierzyć sobie karę za prawdziwe lub zmyślone przewinienia. To jest bunt przeciwko samemu sobie – chociaż w głębi serca masz wrażenie, że buntujesz się przeciwko światu.

Bulimia polega na tym, że nie możesz sobie odmówić jedzenia. Jesz chociaż więcej już nie chcesz i nie potrzebujesz. Opychasz się słodyczami i wszystkim, czego sobie wcześniej odmawiałeś. Obżerasz się tym, co było najbardziej zabronione – ciastkami z kremem, czekoladą, lodami, bo gdzieś głęboko w duszy masz nadzieję, że wreszcie poczujesz się lepiej, że zgasisz tym ten przerażający krzyk samotności i rozpaczy.

Ale nigdy nie czujesz ulgi.
Wprost przeciwnie.
Po napadzie obżarstwa powraca paraliżujący strach, że zrobiłeś coś, czego nie wolno robić! Sam siebie zapędziłeś w ślepą uliczkę. Przecież ponad wszystko boisz się utyć!!! Bo jeśli utyjesz, to znów będziesz siebie nienawidzić jeszcze bardziej niż teraz!!! Help!!!!!!! Co robić, co robić?!!!!!!!...

I wtedy nagle szalona myśl – trzeba się pozbyć się tego obrzydliwego jedzenia z żołądka! Teraz, natychmiast, zanim przerodzi się w okropny tłuszcz!
Idziesz do łazienki, wsadzasz sobie palce do gardła i chcesz to zwymiotować. Albo bierzesz leki przeczyszczające. Byle tylko uwolnić się od tego tuczącego żarcia!

A potem myślisz, że jesteś głodny. Zaczynasz jeść, hamulce puszczają, znów obżerasz się tak, że jest ci niedobrze. Wraca przerażające poczucie winy. Więc znów biegniesz do łazienki, żeby wszystko zwymiotować.
To szalona karuzela objadania się i panicznego strachu o zachowanie szczupłego ciała, które kończy się wymiotowaniem. Obżarstwo – wymioty – obżarstwo – wymioty. Bez przerwy.
I to koszmarne poczucie, że jesteś niewolnikiem swojego ciała i nieopanowanego łakomstwa. Ciągle myślisz o jedzeniu. Nie możesz się powstrzymać przed kupieniem

tego masakrycznie tłustego ciastka. Ale tylko ono wydaje się mieć moc utulenia twoich wrzeszczących emocji.

Wydaje się.

Bo w rzeczywistości to jest ostatni stopień zagubienia i zagmatwania własnego życia, do którego doprowadził strach i nienawiść do samego siebie.

A najdziwniejsze jest to, że trzeba spaść na samo dno, żeby wreszcie stuknąć głową o coś twardego i otrzeźwieć.

Chyba dopiero ataki bulimii uświadomiły mi, że kręcę się w kółko. I że właściwie chyba nigdy nie zrobiłam dla siebie niczego dobrego.

DOBREGO.

Bo ja tylko zawsze chciałam siebie ukarać, wychłostać, upokorzyć, znienawidzić.

I zawsze chwytałam się różnych pozornych i łatwych rozwiązań, które wcale nie były skuteczne, a wprost przeciwnie – doprowadziły mnie na skraj śmierci.

A przecież nie tego chciałam!

Nie chciałam też wpaść w nałogowe obżarstwo, które za każdym razem kończyło się na kolanach z głową w muszli klozetowej!

Nagle zrozumiałam, że właściwie ja nie włożyłam nigdy wysiłku w to, żeby zadbać o moje życie.

Chwytałam się tylko czegoś łatwego i szybkiego, co miało na chwilę poprawić mi nastrój. Nie przyszło mi przez myśl,

Bulimia to jeszcze jeden stopień
zagubienia i zagmatwania
własnego życia, do którego prowadzi
strach i nienawiść do samego siebie

żeby zastanowić się i spróbować przewidzieć konsekwencje moich decyzji.

Gdybym się zastanowiła, to czy wybrałabym odchudzanie się na skraj wycieńczenia organizmu? Albo upijanie się wermutem wymieszanym z wódką dla szybszego działania? Albo obżeranie się ciastkami, które za chwilę będę chciała zwymiotować?

Jasne, że nie.

Bo wpadłam w uzależnienie. A kiedy uzależniasz się od jedzenia, niejedzenia, picia albo palenia zioła, to stajesz się niewolnikiem. I wtedy już nie możesz przestać nawet jeśli chcesz.

No właśnie.

Ja też przez pół życia stosowałam szybkie i tanie metody poprawienia sobie nastroju i nie chciało mi się myśleć co będzie dalej.

Ale co z tego, że schudnę o trzydzieści kilogramów? Czy to naprawdę zmieni moje nastawienie do życia? Czy to zmieni moje myśli? Czy to zabierze z mojej duszy ten dręczący ból i poczucie pustki?

No, błagam!

Przecież to niemożliwe!

No, a poza tym: czy to, że uważam się za grubasa, jest naprawdę najważniejszą rzeczą, którą chciałabym w sobie zmienić?

No właśnie.

Bo tu wcale nie chodzi o to ile masz kilogramów i centymetrów.

Tak naprawdę chodzi tylko o to czy umiesz lubić.

Chodzi o to czy umiesz lubić samego siebie, swoje myśli, swoje marzenia. Czy umiesz lubić innych ludzi, ich marzenia i plany. Czy umiesz lubić to, że świeci słońce i że biedronka siedzi na bławatku na łące.

Rozumiesz?

Jeśli nosisz w sobie strach, będziesz miała wrażenie, że musisz walczyć, nienawidzić, kontrolować, rządzić i zmuszać ludzi do zauważenia twojej obecności.

Kiedy nauczysz się lubić siebie, zniknie strach. A razem z nim wszystkie przymusy, jakie tobą rządzą.

Rozumiesz?

Pięknym trzeba być przede wszystkim w środku.

Kiedy masz dobrą, uczciwą, kochającą duszę, nagle zaczynasz dostrzegać dobro i piękno, które są dookoła.

I wtedy twoje życie jest wspaniałe.

Rozumiesz?

Jedyne, czego naprawdę potrzebujesz, to nauczyć się lubić.

Lubić tak naprawdę.

Nie tylko wtedy, kiedy jest ci z tym wygodnie.

Lubić zawsze.

Kiedy polubisz siebie i staniesz się swoim przyjacielem, łatwo nauczysz się też kilku innych bardzo przydatnych cech:

1. Samodzielności.
2. Siły woli.
3. Podejmowania wysiłku, żeby osiągnąć wyznaczony cel.
4. Znajdowania radości w drobnych rzeczach.
5. Odwagi, żeby mieć własne zdanie i umiejętności, żeby przekazać je ludziom w przyjazny sposób.
6. Życzliwości wobec wszystkich istot na świecie.

To są najważniejsze rzeczy na świecie.

Dopiero kiedy to zrozumiałam i nauczyłam się tak myśleć, poczułam się szczęśliwa. Nagle miałam mnóstwo siły i zwyczajnej, codziennej radości życia.

A o to przecież chodzi, prawda?

Po wielu smutnych latach, błądzeniu po ślepych uliczkach, myślach samobójczych, anoreksji i bulimii, setkach ucieczek od różnych ludzi i z różnych miejsc – wreszcie odkryłam, że nie chodzi o to, żeby od siebie uciekać.

Chodzi o to, żeby się ze sobą zaprzyjaźnić.

Walkę z bulimią prowadziłam powoli i z wieloma porażkami po drodze. Ale stopniowo dzień za dniem uczyłam się lubić siebie i opiekować się samą sobą.

Kiedy chwytałam za torbę słodyczy i już czułam, że za chwilę wpadnę w czarną dziurę obżarstwa, z której nie ma odwrotu, chwytałam się za rękę i mówiłam do siebie:

– Nie rób tego! Nie otwieraj tej torby, bo przecież wiesz co będzie potem! To się skończy znowu tym, że pobiegniesz do łazienki, żeby wszystko zwymiotować! Będziesz czuła upokorzenie i wstręt do samej siebie! Przecież tego nie chcesz!

Słyszałam ten głos, ale jeszcze bardziej pragnęłam poczuć ten słodki smak rozlewający się w moich ustach. Ach! To było silniejsze ode mnie! Nie mogłam się powstrzymać! Niecierpliwie rozrywałam torbę i jadłam, jadłam, jadłam, zajadałam cały stres, lęk i smutek, jaki we mnie spał!!!

A potem było dokładnie tak jak przewidziałam. Strach, łazienka, palce w gardło.

Nie! Nie tego chciałam!

No to jeszcze raz.

Dlaczego nie mogę na siebie liczyć?... Od innych ludzi wymagam, żeby nie robili mi świństw, a sama je sobie robię?... To niezrozumiałe, to nielogiczne, to głupie!... To mnie krzywdzi, więc po co sama sobie wyrządzam krzywdę?... Po co?... No powiedz, Beato, po co?... Jaki masz w tym cel?....

Nie wiedziałam.

Czułam tylko, że może nie muszę już tak bardzo siebie nienawidzić. Jakoś wszystko stawało się łatwiejsze kiedy dawałam sobie trochę ciepła.

Już nie wrzeszczałam na siebie, że jestem głupia i tłusta. Teraz raczej pochyliłam się nad sobą jak nad upartym, niegrzecznym dzieckiem i zaczęłam szukać prawdziwego powodu dlaczego tak jest.

I kiedy spojrzałam na siebie z sympatią, nagle dostrzegłam w sobie przestraszone dziecko, które czeka na kogoś, kto się nim zaopiekuje.

Czy wiesz, że ty też masz w sobie takie przestraszone dziecko?

Czy wiesz, że ono jest jak małe przestraszone zwierzątko?

Pragnie twojej bliskości i przyjaźni, ale strasznie boi się do ciebie podejść.

Musisz je cierpliwie i powoli oswoić.

Kiedy je pokochasz, poczujesz to wszystko, za czym teraz tęsknisz. Będziesz wreszcie kochana i bezpieczna.

Ja tak właśnie zrobiłam.

Przestałam walczyć ze sobą.

Zaczęłam się sobą opiekować.

Nie chciałam wisieć z głową nad sedesem, żeby zwymiotować to, co przed chwilą w siebie wrzuciłam. Nie chciałam czuć się jak niegodna szacunku ofiara własnego łakomstwa.

Następnego razu, kiedy wyciągałam z lodówki pudełko lodów, pomyślałam:

– Zjem tylko kilka łyżeczek.

Ale wiedziałam, że to jest kłamstwo. Wiedziałam z doświadczenia, że na kilku łyżeczkach się nie skończy, że znów zacznę się obżerać i nagle usłyszałam w głowie głos:

– Nie rób tego!...

Słyszałam to ostrzeżenie wiele razy wcześniej, ale zawsze było dalekie i ciche, jakby ukryte we mgle. Wcześniej po prostu n i e   c h c i a ł a m   go słyszeć. Było mi wygodniej ignorować ten głos, bo gdybym go usłyszała, to musiałabym włożyć w moje życie trochę wysiłku, a na to nie byłam jeszcze gotowa.

I wtedy przy otwartych drzwiach lodówki znów usłyszałam ten głos.

– Nie rób tego! Tak naprawdę wcale nie chcesz tego robić. Nie chcesz poprawiać sobie samopoczucia przy pomocy słodkich lodów. To nie jest mądre ani dobre. I do niczego dobrego nie prowadzi.

I nagle pomyślałam:

– O rety, to prawda! Nie chcę tego robić. Nie zrobię tego!!!!!!!!!!!!!!

Wrzuciłam lody z powrotem do lodówki, zatrzasnęłam drzwi i uciekłam z kuchni, żeby przypadkiem nie zmienić zdania.

Aaaaaaaaaaaaaaa!!!!

To było zwycięstwo!!!!!!!!!!!

A ja poczułam się taka szczęśliwa i dumna z siebie!

A potem krok po kroku, pomalutku, uczyłam się jak żyć na nowo.

Bez nienawiści.

Z przyjaźnią.

Słucham siebie.

Dbam o siebie.

To znaczy, że dostarczam sobie zdrowego jedzenia. Tak! Ja dbam o siebie jak o najlepszego przyjaciela. I dlatego właśnie karmię się zdrowym jedzeniem.

Nie jem lodów ani żadnych innych słodyczy.
Nie za karę. Wprost przeciwnie.
Sprawdziłam co jest zdrowe, a co niezdrowe i dlaczego.
Dowiedziałam się, że biały cukier to syntetyczna substancja,
która negatywnie wpływa na układ odpornościowy i emocje.
Jeszcze bardziej szkodliwe są sztuczne słodziki w rodzaju
aspartamu. Dlatego wyrzuciłam z mojego talerza słodycze,
bo po prostu nie chcę jeść tego, co mi szkodzi!

To najprostsze pod słońcem!
Nie jem słodyczy, bo siebie lubię i chcę o siebie dbać!

Z tego samego powodu nie piję alkoholu.
Zauważyłam, że pod wpływem alkoholu robię rzeczy,
których potem żałuję. I czuję się potem koszmarnie. A jaki
sens ma robienie z własnej woli czegoś, czego tak naprawdę
wcale nie chce się zrobić?...

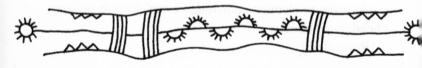

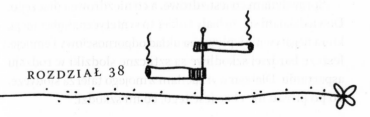

ROZDZIAŁ 38

Papierosy

Zaczęłam palić papierosy dzień po moich osiemnastych urodzinach. Oficjalnie, bo wcześniej podpalaliśmy z kolegami ukradkiem w szkolnej łazience i na boisku. Ale w dniu, gdy stałam się pełnoletnia czyli „dorosła", postanowiłam, że nie muszę się już kryć, bo od tej chwili nikt nie może mi zabronić palenia papierosów.

I rzeczywiście.

W szkole palenie było zabronione dla uczniów, ale wystarczyło uchylić drzwi pokoju nauczycielskiego, żeby na korytarz buchnęły kłęby dymu i zapach gorącej kawy. Palili prawie wszyscy w moim otoczeniu – rodzice, sąsiedzi, krewni, nawet babcia Zofia – więc i ja uznałam, że palenie papierosów to element „dorosłego życia" i czym prędzej chciałam go mieć.

Rozumiesz?

Ja chciałam palić po to, żeby wydawać się kimś bardziej dorosłym i bardziej fajnym niż byłam. To było czyste kłamstwo. Oszukiwałam samą siebie.

Pierwszy papieros to męczarnia. Czułam się tak, jakby ktoś wbijał mi pień drzewa w gardło i wnętrzności. Ale palenie dawało też jakąś masochistyczną przyjemność. Choćby ten gest trzymania papierosa w dwóch palcach niedaleko ust – tak jak robili aktorzy w amerykańskich filmach. I moment kiedy wciągasz do płuc dym i potem wypuszczasz go ustami i nosem – tak jak robiły aktorki w romansach. Czułam się jak umęczony rzeczywistością gość pokazywany w polskich filmach, gdzie bohater walczył z przeciwnościami losu, a w walce zawsze pomagał mu papieros.

Ale byłam niemądra!
Tak naprawdę chodziło mi tylko o to, żeby udawać kogoś, kim nie jestem.

To był jeszcze jeden fałszywy sposób, żeby poprawić sobie życie. Tak samo fałszywy jak ucieczki z domu i z kraju, anoreksja, alkohol, narkotyki. Ja po prostu chciałam znaleźć łatwy i szybki sposób poprawienia sobie samopoczucia. Szukałam iluzji, a nie prawdy.

Nawet nie przeszło mi przez myśl, żeby poszukać skutecznego rozwiązania moich kłopotów. Usiłowałam naśladować bohaterów filmowych z jakąś bezsensowną nadzieją, że jeśli on jest dorosłym człowiekiem, pali papierosy i odnosi sukcesy, to ja – tak samo jak w filmie – też będę paliła papierosy, będę dorosła i.... będę odnosiła sukcesy?...

Aaaaa!!!

Gdybym wtedy pomyślała logicznie, musiałabym przyznać, że to nie ma sensu. Żeby odnieść sukces, trzeba być pozytywnym, konstruktywnym i twórczym, a nie kręcić się w kółko po własnych śladach albo próbować naśladować innych.

Moim nadrzędnym celem zresztą nie było odniesienie „sukcesu". Chciałam czuć się szczęśliwa, chciałam odnaleźć to coś, czego brak tak dotkliwie odczuwałam, ale nie potrafiłam tego nazwać ani opisać.

To był rodzaj wewnętrznej pustki, której nie potrafił zapełnić żaden wiersz, żaden człowiek, żadne wydarzenie ani myśl. Ta pustka – jak odkryłam wiele lat później – brała się z mojego negatywnego nastawienia do samej siebie, z braku zaufania we własne siły, a przede wszystkim z niechęci, jaką do siebie czułam.

Papierosy wydawały mi się symbolem „dorosłości" i „niezależności". Wszyscy wielcy bohaterowie palili. Palił James Dean w filmie „Buntownik bez powodu", palił Dustin Hoffman, Steve McQueen, Marlon Brando, nawet Beatlesi palili papierosy!

Ale przecież każdy wie, że papierosy są też rodzajem narkotyku, który uzależnia.

Jak każdy palacz mówiłam, że „jeśli zechcę, to rzucę".

I kiedy w końcu „zechciałam", nagle okazało się, że to wcale nie jest takie łatwe.

Paliłam papierosy przez 10 lat!
Ale byłam głupia!!
Teraz nie palę i jestem zdrowa
i chcę taka być!

Paliłam papierosy przez ponad dziesięć lat. Na początku tylko najtańsze, „Popularne", bez filtra. Za każdym razem kiedy się zaciągałam, czułam ogarniającą mnie słabość, kręciło mi się w głowie. Czułam się okropnie! Ale rzucałam ukradkiem spojrzenia na innych dorosłych, wypuszczałam dym nosem i sprawdzałam czy na mnie patrzą.

Bo ja – w kłębach błękitnego dymu – wydawałam się sobie super „dorosła" i „doświadczona".

A że robi mi się słabo? To był szczegół.

Poza tym blada twarz i sucha skóra pasowały do cierpiących bohaterów książek i filmów, którzy mocowali się ze złym światem i wpadali w coraz to nowe nieszczęścia. Zawsze oczywiście z papierosem w ręce.

Przedstawiano ich w taki sposób, że budzili sympatię i współczucie. Widz sam miał ochotę stoczyć się na dno, zażywać narkotyki i sięgać po cygaro podczas ataku gruźliczego kaszlu.

Nikt nie sugerował, że to jest głupie. Mam wrażenie, że w filmach i książkach często idealizuje się cierpienie i destruktywną bierność. Nikt głośno nie mówi, że tacy ludzie są winni swojemu nieszczęściu i nie należy ich naśladować.

Ja to powiem.
Granie ofiary jest bardzo wyczerpujące. Zużywa tyle samo energii co bycie aktywnym twórcą swojego życia.
Narkotyki, papierosy i alkohol to iluzja dla słabych.
Silni wolą mieć czysty umysł i widzieć prawdę. I działać w imię dobra.

Teraz to wiem.
Wtedy nie miałam o tym pojęcia.

Paliłam więc papierosy i wydawało mi się, że dzięki temu jestem lepsza, mądrzejsza, bardziej wyrafinowana, dorosła i doświadczona. Nadeszły jednak czasy, kiedy palaczom w miejscach publicznych wypowiedziano wojnę. Nie wolno było już normalnie w miejscu pracy zapalić „dla poprawienia koncentracji", nie wolno było nawet zapalić na korytarzu ani w poczekalni, ani w samolocie, ani na lotnisku. Trzeba było wychodzić na dwór albo – jeszcze gorzej – kryć się jak w szkole podstawowej w łazience.

Palenie i szpanowanie papierosami stawało się coraz bardziej skomplikowane. A poza tym – ten okropny zapach, który zostawał na palcach po zgnieceniu niedopałka, ten trampkowaty smak w ustach po skończeniu papierosa... I ciągle to samo uczucie gwałtownie ogarniającej mnie słabości po pierwszym zaciągnięciu się, zawroty głowy po pierwszym papierosie...

Być może dorosłam na tyle, żeby dojść do wniosku, że jednak papierosy wcale nie są takie dobre i mi nie służą. Postanowiłam więc spróbować jak to jest bez nich.

Rzucam palenie. Dla pewności pozbyłam się wszystkich papierosów z ostatniej paczki i wyrzuciłam do kosza.
I wtedy okazało się jak mało naprawdę wiem.

Byłam w szponach nałogu.
Wytrwałam jeden dzień. A potem wszystkie moje myśli zaczęły krążyć wokół papierosów i palenia, nie mogłam się skupić na niczym, bo przez cały czas myślałam tylko o tym, czego sobie odmawiam. I w końcu pojawił się we mnie bunt:

– Ale dlaczego właściwie mam sobie odmawiać czegoś, co sprawia mi przyjemność?!....

Rzuciłam się na mój biedny kosz na śmieci. Rozkopałam odpadki w poszukiwaniu choćby jednej połamanej końcówki, która nadawałaby się do zapalenia. Jest! Jest!!! Cudownie!!!

Zapałki!!! Ogień!!!! Dym!!!
– O Jezu jak bosko!...
I natychmiast potem:
– O Jezu, co za koszmar!!!

Znowu kręci mi się w głowie i czuję jak z ciała uchodzi cała energia.

I napada mnie gigantyczne poczucie winy, że postanowiłam rzucić palenie, ale złamałam dane sobie słowo już następnego dnia.

I walka ze sobą:

– Dlaczego mam sobie odmawiać palenia papierosów, jeśli chcę to robić?

I podstępne pytanie mojego sumienia:
– A czy naprawdę c h c e s z to robić? Chcesz był nałogowym palaczem? Chcesz palić papierosy?

I moja uczciwa odpowiedź w głębi duszy:
– No, nie. Tak naprawdę to wcale nie. Wolałabym żyć bez papierosów. Tak byłoby czyściej, zdrowiej i łatwiej.
– No to rzuć palenie.
– No to rzucam!
Wytrwałam dwa, może trzy dni. Potem wracał głód

nikotyny i tak długo nie dawał mi spokoju, aż mu ulegałam. Biegłam do najbliższego sklepu, kupowałam papierosy i znów je paliłam przez jakiś czas – aż narosła we mnie nowa wola walki, rozsądek i poczucie winy.

Rzucałam palenie chyba ze sto razy.

Na szczęście byłam wystarczająco uparta i powoli zmieniał się też mój sposób myślenia. Bo przecież w gruncie rzeczy chodzi o to, żeby dokonywać świadomych wyborów wiedząc p o c o to robię i czemu to ma służyć.

Czy ja chcę to robić?

Czy coś mnie do tego zmusza? A jeśli mnie zmusza, to dlaczego? Skąd bierze się ten przymus i jak się od niego uwolnić?

Pewnego pięknego dnia zniszczyłam kolejną paczkę papierosów i tak jak sto razy wcześniej powiedziałam do siebie:

– Ta była ostatnia!

I tym razem wytrwałam.

Pomogło mi kilka rzeczy:

Po pierwsze największa ochota na papierosa pojawia się zwykle po jedzeniu. Dlatego natychmiast po skończeniu jedzenia szłam do łazienki wymyć zęby. Szorowałam je mocną miętową pastą. Czułam w ustach tak cudowną świeżość, że traciłam chęć na zabrudzenie jej papierosem.

Po drugie zaczęłam ssać gumę do żucia z nikotyną. Nie przez przypadek napisałam „ssać", a nie „żuć". Bo to wcale nie jest guma „do żucia"! Za pierwszym razem tego nie wiedziałam. Włożyłam ją do ust i niecierpliwie zaczęłam rozgryzać. I nagle poczułam, że mam w ustach coś najbardziej ohydnego na świecie. Gorzkie, wstrętne w smaku, piekące. Aaaaaa!!! Dopiero wtedy zajrzałam do ulotki.

I wtedy odkryłam, że gumę do żucia z nikotyną należy s s a ć, lekko nadgryzając zębami. Wtedy stopniowo wydziela się nikotyna, dzięki której człowiek jest w stanie uwolnić się od prześladujących myśli o papierosach.

I rzeczywiście wyzwoliłam się od papierosów.

Nie tracę już siły na walkę z osłabiającym działaniem nikotyny, smółek i innych świństw zawartych w papierosie. Jestem zdrowa i chcę taka być.

Szanuję moje płuca i moje serce. Chcę, żeby pozwoliły mi na zrealizowanie wszystkich podróży i napisanie wszystkich książek, jakie sobie wymarzę. Całą odzyskaną energię przeznaczam na to, żeby żyć świadomie, podejmować decyzje i zmieniać moje życie na lepsze.

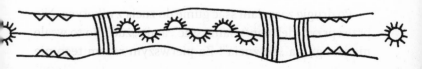

ROZDZIAŁ 39

Narkotyki

Narkotyki zawsze były łatwo dostępne. Nawet dwadzieścia lat temu, kiedy nie było Internetu, sklepów z dopalaczami, a na dzieci wychodzące ze szkoły nie czekał gość rozdający uzależniające lizaki.

Narkotyki były też zawsze zabronione, przez co wydawały się tym bardziej tajemniczym obiektem pożądania. Wyobraźnię poruszały opowieści o magicznych, kolorowych wizjach, odlotach, dobrym samopoczuciu i doświadczaniu stanów niedostępnych zwykłym nudziarzom.

Ja też kiedyś fascynowałam się tym, czy tytuł piosenki Beatlesów „Lucy in the Sky with Diamonds" jest skrótem nazwy halucynogennego narkotyku LSD. I ja też chciałam przeżyć „odlot" – bo przecież nie lubiłam siebie ani swojego życia, więc byłam gotowa chwycić się każdego sposobu, żeby to moje życie zmienić, ale oczywiście pod warunkiem, że to będzie łatwe, szybkie i tanie. Żebym nie musiała się zmęczyć.

Bo tak naprawdę ja wcale nie chciałam czegoś zmienić. Ja chciałam tylko znaleźć pozór, że coś się samo zmienia. Miękkie narkotyki wydawały się do tego idealne. Były takie „dorosłe", „wyrafinowane", intrygujące.

W szkole średniej nie mieliśmy dostępu do prawdziwych narkotyków. Zastępowaliśmy je tabletkami. Wystarczyło połknąć sześć tabletek na gorączkę, żeby odlecieć. Podłoga i sufit w pokoju zaczynały falować, przed moimi oczami fruwały kolorowe chmury. Potem dowiadywałam się, że ktoś zadawał mi pytania, na które odpowiadałam kompletnie bez sensu. Nic nie pamiętałam.

Podczas jednego z międzynarodowych obozów pracy OHP, na które jeździłam w nagrodę za to, że dobrze znam angielski, spotkałam dwie Amerykanki. Paliły skręty z marihuany, biegały po korytarzu i krzyczały:

– *Oh my God, oh my God!...*[3]
Z tonu ich głosu wnioskowałam, że nie jest to krzyk rozpaczy, ale raczej oszołomienia, zdumienia, więc kiedy zapytały czy też chcę spróbować, odpowiedziałam, że oczywiście.

Wrażenie było średnie – poczułam, że do głowy uderza mi jakaś zwiewna mgła, zrobiło mi się dziwnie lekko, a potem wszystko przeszło.

---

3) *Oh my God, oh my God* (ang.) – O mój Boże, o mój Boże!

Kiedy przyjechałam do Londynu, zamieszkałam u mojego dawnego znajomego z Polski. Zbyszek na początku mówił z pełnym przekonaniem:

– Nie bój się, nie jesteś w moim typie, na pewno się w tobie nie zakocham.

Po dwóch tygodniach zaczął mówić:

– Mam nadzieję, że się w tobie nie zakocham.

Aż wreszcie któregoś dnia wyznał:

– Boże, chyba się w tobie zakochałem!

Pierwszego wieczoru po przyjeździe do Londynu odebrał mnie z dworca autobusowego Victoria, pojechaliśmy metrem do jego mieszkania i tam Zbyszek w ramach polskiej gościnności poczęstował mnie winem, likierem i marihuaną.

Przez wiele lat próbowałam pozować na osobę „z doświadczeniem". Dlatego zaczęłam palić papierosy, dlatego przeklinałam, upijałam się, sugerowałam, że mam wiele doświadczeń z mężczyznami. Wszystko po to, żeby się przypodobać innym ludziom i zaimponować im moją „dorosłością".

Nigdy nie przyszło mi do głowy, że mogę po prostu być SOBĄ i że to może stanowić wartość. No, ale do tego musiałabym lubić siebie i mieć do siebie choćby szczątkowe zaufanie, a tego przecież najbardziej mi brakowało.

Byłam więc kimś, kto szukał potwierdzenia swojej wartości u innych ludzi i odgrywał w życiu jakąś rolę, nie zastanawiając się ani przez moment jaki to ma sens i dokąd mnie to doprowadzi.

Dlatego na pytanie Zbyszka czy paliłam już marihuanę, odpowiedziałam nonszalancko, że oczywiście, wiele razy, i chętnie znów się sztachnę. Zaciągnęłam się raz i drugi, ale nic nie poczułam.

– Głębiej – powiedział Zbyszek.– Wciągnij i przytrzymaj.

I nic. Po prostu nic.

Zaciągnęłam się więc jeszcze raz, a potem zapadła ciemność. Straciłam przytomność.

Zbyszek opowiadał mi później, że wpadł w panikę i zadzwonił do swojego znajomego, żeby zapytać co ma teraz ze mną zrobić.

Ten drugi Polak odpowiedział:

– Jak to co? Wykorzystaj ją. Ona nigdy nie będzie taka łatwa jak teraz.

Ale nic takiego się nie stało. Zbyszek poczekał aż się ocknę, położył mnie spać i tak zaczęło się moje życie w Londynie.

Wiem dlaczego narkotyki mnie pociągały.

Kojarzyły się z czymś szalonym, z odmianą od szarej rzeczywistości, z zabawą i łatwym osiągnięciem radości. Nie zastanawiałam się nad tym, że to jest tylko chwilowy wyskok i tworzenie złudzenia, że zmienia się coś, co uważałam za złe, nudne, brzydkie i niepotrzebne. Nic się przecież naprawdę nie zmieniało. Narkotyki tylko przykrywały na chwilę oczy, żeby nie wiedzieć tego, na co nie chcesz patrzeć.

Nie myślałam też o tym, że każda taka niewinna próba może się skończyć uzależnieniem, a więc całkowitym przeciwieństwem wolności, którą pozornie miały przynieść ze sobą narkotyki.

Ocalił mnie jak zwykle mój wewnętrzny głos. Domagał się prawdy. Kierował mnie we właściwą stronę. Podpowiadał, że to jest złe.

– No, ale wszyscy to robią – mówiłam wtedy.
A mój wewnętrzny głos odpowiadał:
– I co z tego? Czy to jest dowód na to, że to jest słuszne?
– No, ale gdyby to było takie niebezpieczne, to chyba ludzie głośniej mówiliby o zagrożeniach.
– Mówią, ale ty nie chcesz ich słuchać. A ci, którzy już są uzależnieni, nic nie mówią, bo nie mają na to siły.

Czułam gdzieś w środku, że narkotyki to zła droga. Wszystkie narkotyki. Te miękkie też. One dają tylko złudzenie. Są kłamstwem, takim samym jak alkohol.

I co z tego, że wszyscy piją alkohol i że można go legalnie kupić w sklepie? To nawet w mikroskopijnym stopniu nie zmienia faktu, że alkohol zmienia twój umysł, niszczy twoją odporność, oszukuje twoje emocje i uzależnia, czyli zmusza cię do dalszego picia.

Czy myślisz, że tego właśnie chcesz?
Ja tego nie chcę.

Dlatego zaczęłam unikać kontaktu z narkotykami. Przestałam więc szukać okazji i odmawiałam kiedy ktoś mnie częstował. Z jednym wyjątkiem, o którym napiszę później.

Naprawdę chcesz dewać samego siebie?
Twoje marzenia, plany, podróże,
filmy, odkrycia naukowe, wynalazki,
wszystko, co chciałbyś w życiu osiągnąć?

Najśmieszniejsze było to, że często ktoś pytał czy moje opowiadania są pisane pod wpływem narkotyków. Pisałam je zawsze w natchnieniu, ale nigdy pod wpływem narkotyków. Słuchałam muzyki i zapisywałam to, co razem z dźwiękami pojawiało się w mojej wyobraźni. Nie kreowałam niczego świadomie. Miałam wrażenie, że włączam się w jakiś kosmiczny przekaz energii, który mogę zamienić na słowa i zapisać je na kartce. Rzeczywistość w tych opowiadaniach była często magiczna, kolorowa i nie podlegała zwykłym ziemskim prawom.

Później, kiedy stałam się już prawdziwym człowiekiem – kiedy nauczyłam się żyć i znalazłam wszystko, czego tak bardzo kiedyś mi brakowało – nigdy nie miałam ochoty próbować narkotyków i nigdy tego nie robiłam.

Narkotyki – tak samo jak alkohol i papierosy – zostały wymyślone po to, żeby zniewolić ludzi. Dać im pozór czegoś potrzebnego, ale w rzeczywistości odebrać im zdolność jasnego myślenia i podejmowania racjonalnych decyzji.

To po prostu czyste kłamstwo.

Kiedy zaczynasz pić albo palić skręta dla poprawienia sobie nastroju, tracisz chęć i umiejętność zaprowadzenia w swoim życiu takich zmian, o jakich marzyłeś. Przestajesz żyć. Zaczynasz dryfować z coraz większym żalem, że życie nie niesie cię tam, gdzie chciałbyś być.

Ale halo!

Przecież sam to wybrałeś! A teraz czujesz, że nie możesz zmienić decyzji, bo jesteś zbyt słaby i nie wiesz jak się za to zabrać.

Zacznij od uwolnienia się od alkoholu i narkotyków.

Zobaczysz, że wtedy twój umysł odzyska jasność i nagle będziesz wiedział co chcesz zrobić i jak.

Ludzie czasem udają, że zatracenie się w pustce może być fajne. Nic nie mam, niczego nie chcę mieć, na niczym mi nie zależy, mam gdzieś cały świat i pogoń za kasą, nie chcę brać udziału w wyścigu szczurów. Wolę leżeć cały dzień, palić trawę i cieszyć się tym, że nic nie muszę i olewam.

Super. Olewaj to, czego inni ludzie oczekują od Twojego życia. Nie goń za kasą i nie startuj razem ze szczurami.

Ale czy naprawdę chcesz olewać także siebie samego? Twoje marzenia? Twoje plany? Twoje podróże w nieznane, Twoje filmy, odkrycia naukowe, wynalazki, wszystko to, co pragnąłbyś osiągnąć?

Myślę, że nie.

Gdyby Czarodziej teraz wyciągnął do ciebie rękę i powiedział:

– Chodź, kochany, zaprowadzę cię do miejsca, gdzie spełnią się twoje marzenia.

To natychmiast wstałbyś z kanapy, wyrzucił narkotyki i poszedł, prawda?

Więc idź.

Bo nikt nie przyjdzie, żeby poprowadzić Cię za rączkę do spełnienia twoich własnych marzeń.

Sam musisz znaleźć drogę.

I na pewno potrafisz, ale nie zrobiłeś jeszcze chyba nic, żeby to osiągnąć, prawda?

Brakuje ci planu, wiary we własne siły i odwagi.

Weź się w garść i zacznij układać własne życie.

Narkotyki to tylko ciemna studnia, która będzie cię wciągała coraz głębiej, nie dając niczego w zamian – oprócz pustki pozorów i złudzeń.

Nie warto skakać na główkę do stawu pełnego smoły.

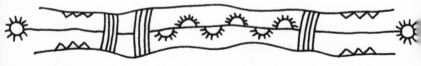

ROZDZIAŁ 40

Samobójstwo

W milczeniu i ze zdziwieniem odkrywałam reguły rządzące światem. A raczej to, że nie ma reguł.

Życie w telewizji wyglądało zupełnie inaczej niż życie w Polsce, dorośli nigdy nie mieli na nic czasu i zawsze im brakowało pieniędzy, a w szkole pan od propedeutyki nauki o społeczeństwie uczył nas rozróżniać samobieżne działa.

W szkole średniej nie mogłam już dłużej milczeć. Postanowiłam zmienić świat na lepsze. Rozpoczęłam światową kampanię na rzecz pokoju. Sadziłam żołędzie w plastikowych kubkach po paście do prania, a kiedy wykiełkowały, przynosiłam je na szkolne akademie i organizowałam akcje sadzenia młodych dębów. Na rzecz pokoju, oczywiście.

Chciałam, żeby zniesiono granice między państwami i żeby ludzie mogli swobodnie podróżować do wybranego przez siebie miejsca na świecie. Włączyłam w tę kampanię nastolatków z kilkunastu krajów, bo dziesiątkami słałam pokojowe apele do średnich szkół w Ameryce, Afryce, Azji i Europie. Nie miałam dokładnych adresów, ale wystarczyło napisać na kopercie *College* i nazwę dużego miasta. I dostawałam odpowiedzi!

Działalność na rzecz pokoju łączyłam ze słuchaniem Beatlesów, pisaniem opowiadań, malowaniem i zgłębianiem fascynujących mnie tematów: studiowałam kubizm i malarstwo surrealistyczne, pasjonowało mnie życie intelektualistów w Paryżu przed pierwszą wojną światową i dwór królewski Ludwika XVI, we wszystkich dostępnych źródłach wyszukiwałam nazwy gatunków egzotycznych drzew i malowałam je tak, jak je sobie wyobrażałam: drzewo gwajakowe, kampeszowe, hebanowe, kauczukowe...

Trudno było mi się skoncentrować na nauce kompletnie nieinteresujących rzeczy w szkole. Pewnego razu na lekcji polskiego jako zadanie domowe mieliśmy opisać fragment życia Barbary i Bogumiła z „Nocy i dni".

Okropnie się męczyłam. Siedziałam nad tym wypracowaniem, wycisnęłam z siebie kilka zdań, a potem nagle łatwo i lekko zaczęłam pisać. Ale nie o Barbarze i Bogumile z polskiej wsi, tylko o szalonej pasji Martina Edena, bohatera książki Jacka Londona.

Martin Eden był moją bratnią duszą. Tak samo pełen nieziszczalnych marzeń, samotny i „inny", odstający od reszty świata.

Pech chciał, że następnego dnia zostałam wywołana do odpowiedzi.

– Napisałam pracę domową – powiedziałam – ale...
w trakcie pisania trochę mi się zmienił temat.
– Przeczytaj – poleciła pani od polskiego.
– Ale... to nie jest wypracowanie o Bogumile i Barbarze.
– Przeczytaj.

Wstałam i przeczytałam na głos od początku do końca,
pełną emocji, wykrzykników i znaków zapytania opowieść
o samotnym marynarzu, który pragnął zostać sławnym
pisarzem i myślał, że jest brzydkim kaczątkiem w świecie
wyższych sfer, żeby w końcu zrozumieć, że ten „lepszy
świat" to tylko gra pustych pozorów.

– Hm – powiedziała pani od polskiego, kiedy skończyłam. – Na jutro napisz wypracowanie na zadany temat
o Bogumile i Barbarze z „Nocy i dni".

Na naukę przedmiotów w szkole zostawało mi niewiele
czasu. Podczas jednej z wyjątkowo nudnych lekcji w II klasie
ogólniaka napisałam pierwsze opowiadanie pt. „Siedmiu ja-
pońskich żeglarzy". Do klasówek czasem włączałam wiersze
i filozoficzne rozważania nad sprawami, które wydawały
mi się ważne.

Niektórzy nauczyciele wyrazili milczącą zgodę na to,
kim jestem. Publikowałam wtedy wiersze i opowiadania
w lokalnych gazetach, dostawałam nagrody w konkursach
poetyckich i literackich, miałam wystawę obrazów, które
namalowałam na styropianie – byłam aktywna, tyle tylko
że sfera moich zainteresowań pozostawała daleko poza
chemią, fizyką czy językiem rosyjskim.

Pani od matematyki była moim cichym sprzymierzeń-
cem. Nigdy nie powiedziała tego wprost, ale zawsze mogłam
liczyć na to, że chociaż kompletnie nie wiem o co mnie pyta
i co mam zrobić z szeregiem cyfr na tablicy, na koniec roku
na świadectwie dostanę łagodną trójkę.

Z innymi nauczycielami musiałam walczyć.

Rósł we mnie bunt i niezgoda na szkolną niewolę, na prze-
pisy zabraniające siadania na podłodze, na obowiązek uczest-
niczenia w pochodzie pierwszomajowym, na niesprawiedliwe wydawanie ocen, na zakaz palenia papierosów i kłęby
dymu wydobywające się z pokoju nauczycielskiego, a przede
wszystkim na zmuszanie mnie do zapamiętywania rzeczy,
o których mogę spokojnie zapomnieć od razu po napisaniu
klasówki.

Czasem przychodziłam na lekcje w spodniach od piżamy
lub w kapeluszu zrobionym z deski klozetowej, żeby w ten
sposób zamanifestować swój sprzeciw wobec zniewolenia,
jakim było chodzenie do szkoły.

Zimą w ramach protestu boso chodziłam po śniegu.

I chociaż bardzo się starałam dopasować wszystkie frag-
menty otaczającej mnie rzeczywistości, żeby stworzyć z nich
spójny obraz, w którym jest też miejsce dla mnie, jakoś
zupełnie nie mogłam sobie z tym dać rady.

Sytuacja w Polsce była wtedy napięta, trwał stan wojenny,
w sklepach były tylko puste półki i nie można już było słuchać
radia BBC ani *Voice of America*, żeby ćwiczyć angielski.

Miotałam się między buntem przeciw szkole a fascynacją
Beatlesami, Picassem i Gertrudą Stein, między wyobraże-
niem o własnej przyszłości a wiecznie niezadowolonymi

dorosłymi, między zmuszaniem się do wykucia chemicznych wzorów a pisaniem nowego opowiadania.

Pewnego dnia pomyślałam, że dłużej tego nie wytrzymam. Czasem człowiek zamota się w różne sprawy i problemy tak beznadziejnie, że czuje jak na szyi zaciska mu się pętla. Mija czas, ale nic się nie zmienia, tylko coraz trudniej jest oddychać.

Bunt i wola walki ustępują miejsca milczącej, czarnej rozpaczy, która wciąga jak bagno. Nieważne ile osób jest dookoła, ilu masz przyjaciół i jak bardzo rodzina o ciebie dba. Równie dobrze możesz być wśród kochających krewnych, jak i samotny jak palec.

Bo od wewnątrz trawi cię poczucie braku celu, braku możliwości, braku siły, po prostu braku wszystkiego. Braku perspektyw, rozwiązań, sposobów poprawy, zmiany, drogi, wyjścia z sytuacji.

I wtedy w głowie może się pojawić myśl, że istnieje tylko jeden skuteczny sposób, żeby to zmienić: zakończyć ten potworny los definitywnie, nieodwołalnie i na zawsze. Nigdy więcej nie poczuję tej piekącej goryczy, rozpaczy, smutku i zniewolenia. Nigdy. Po prostu skończę ze sobą i wtedy cały ten ciężar zniknie.

Kiedyś często myślałam o samobójstwie.

Raz próbowałam to zrobić.

Gdyby ktoś mi wtedy powiedział, że „zawsze jest nadzieja", pokręciłabym tylko z niechęcią głową i może powiedziałabym:

– Być może jest nadzieja, ale dla innych. Nie dla mnie. Mnie się już nie chce, po prostu niczego mi się już nie chce.

Nikt jednak wtedy ze mną o tym nie rozmawiał. I ja też u nikogo nie szukałam pomocy, bo kto miałby mi pomóc?... Nauczyciele, którzy w milczeniu mi sprzyjali albo aktywnie zwalczali? Rodzice, którzy uważali, że moim obowiązkiem jest chodzenie do szkoły i wobec których stosowałam wszystkie możliwe formy buntu, sprzeciwu i niezgody? Robiłam wszystko, co było zabronione. Chciałam udowodnić sobie i całemu światu, że jestem wolnym człowiekiem. Kiedy chcieli ze mną rozmawiać, ja zaciskałam usta i wychodziłam.

Ta walka z sobą samą i z całym światem była bardzo wyczerpująca. Przyszedł dzień, kiedy już nie chciałam walczyć. Czułam się najbardziej samotną istotą na świecie i postanowiłam z tym skończyć raz na zawsze.

Połknęłam całe opakowanie leków nasennych i położyłam się na podłodze.

Moja mama tego dnia wcześniej wróciła z pracy.

Wezwała pogotowie.

Uratowano mnie i położono w szpitalu. Po jakimś czasie dostałam skierowanie na wizytę u psychologa.

– Czy zdajesz sobie sprawę z tego – zapytał pan psycholog – że mogłaś uszkodzić sobie mózg i do końca życia być warzywem?

Nie, nie zdawałam sobie z tego sprawy, ale wyobraziłam sobie, że jestem brokułem, który siedzi w leżaku na balkonie i zaczęłam chichotać.

Czy argument o warzywie miał mnie do czegoś przekonać?...

Do czego?... Że chcąc się zabić przypadkiem mogło mi się to nie udać?...

Wzruszyłam ramionami.

Kilka dni wcześniej kiedy jeszcze leżałam w szpitalu, na salę wszedł ksiądz. Serdecznie nas przywitał, podniósł obie ręce z Pismem Świętym, błogosławił nam, chorym. Podszedł do mojego łóżka, pochylił się z troską i z życzliwym uśmiechem powiedział:

– Na rękach będę cię nosił, żebyś wyzdrowiała.

To był cytat z Pisma Świętego.

O Boże, jak mi się nagle zrobiło słodko! Ktoś mnie lubi! Ktoś wybiera moje łóżko spomiędzy wszystkich innych na sali i do mnie przychodzi z pocieszeniem. Byłam mu taka wdzięczna!

– A co ci się stało? – zapytał ksiądz łagodnie.

Powiedziałam prawdę. Chciałam odebrać sobie życie. Znaleziono mnie, odratowano i przywieziono tutaj.

Ksiądz natychmiast odskoczył od mojego łóżka. Twarz mu się zmieniła i ze złością zawołał:

– Takich jak ty powinno się wystawić na dwór, na deszcz i na mróz! A nie trzymać w szpitalu!

Płakałam przez trzy dni.

Byłam taka zmęczona, taka smutna i samotna. Przez chwilę myślałam, że zjawił się ktoś, kto przyniesie mi pociechę

i dobro, ale w następnej chwili zostałam przez niego ode-
pchnięta, odrzucona. Znowu byłam obca. Nieakceptowana.
Bardziej samotna niż kiedykolwiek.

Ale wiesz co?
Życie przynosi zawsze takie rozwiązania, żeby nakiero-
wać cię we właściwą stronę.

Dzisiaj rozumiem co się wtedy stało.

Ja ciągle czekałam na kogoś, kto wypełni moją wewnętrzną pustkę.
Czy wiesz skąd się wzięła ta wewnętrzna pustka?
Z tego, że ja nie lubiłam i nie akceptowałam samej siebie.
I przez cały czas szukałam kogoś, kto wyraźnie powie,
że mnie lubi i akceptuje. Chciałam w pewien sposób użyć
tego drugiego człowieka do zapełnienia tej pustki, która
tak mnie bolała.
I to było złe.
To było podświadome manipulowanie drugim człowiekiem.
Niezależnie od tego, czy to był ksiądz, chłopak, psycholog
czy nauczyciel. Ja chciałam zmusić ich do tego, żeby mnie
kochali i akceptowali.
Bo sama nie umiałam kochać i akceptować samej siebie.

I dlatego życie podsuwało mi takich ludzi. Oni mieli
mnie popchnąć we właściwym kierunku. Miałam wreszcie
zrozumieć, że nie mogę być swoim wrogiem. To ja muszę
lubić i akceptować siebie, bo bez tego właściwie nic pozy-
tywnego wydarzyć się nie może.

I za tę naukę jestem wdzięczna wszystkim, którzy pojawili się w moim życiu.

Wtedy ich zachowanie bardzo mnie bolało.

Dzisiaj wiem, że dzięki nim wreszcie wpadłam na pomysł, że zaopiekować się sobą.

Teraz jestem moim najlepszym przyjacielem.

Kocham siebie.

To najbardziej cudowne uczucie pod słońcem. Wiem, że mogę sobie zaufać zawsze i wszędzie. Wiem, że zawsze dam sobie wsparcie i zawsze będę chciała dać sobie tylko dobro.

To jest właśnie przyjaźń.

I dzisiaj nie jestem w stanie wyrazić wdzięczności, jaką czuję na myśl, że wciąż żyję.

To najpiękniejszy prezent, jaki dostałam.

Dziękuję, dziękuję, dziękuję!

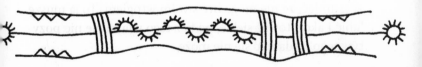

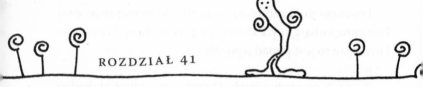

ROZDZIAŁ 41

Ręce rzeźbiarza

Wyobraź sobie rzeźbiarza, który próbuje ulepić figurkę z gliny.

Ciągle mu coś nie wychodzi. Jest niezadowolony, rozczarowany, zły.

Figurka ma za długi nos, to znowu za krótkie nogi, jest za gruba albo za chuda, a kiedy wszystkie ręce i nogi ma w porządku, to wciąż brakuje jej czegoś, czego nie jest w stanie określić.

Po prostu jest zła.

Ani nie jest wyjątkowo piękna, ani nawet poruszająco brzydka. Jest nijaka. Bez życia, bez emocji.

Rzeźbiarz stara się ją poprawić.

A potem po raz dziesiąty lepi ją na nowo.

I znowu nic. Jego palce jakby straciły moc. Są sztywne, twarde, nieczułe. A to jest przecież najlepsza glina! Można by z niej ulepić znicz, w którym zapłonie olimpijski ogień! Dlaczego więc nic mu się nie udaje?...

Pewnego dnia rzeźbiarz wchodzi do swojej pracowni. Patrzy na kulkę gliny, z której tyle razy próbował coś ulepić i myśli, że to jest ponad jego siły.

To się chyba nigdy nie uda. On po prostu nigdy nie będzie w stanie tego zrobić.

Nigdy!

Rośnie w nim żal, gorycz i złość na samego siebie.

Taka dobra glina! Takie zdolne palce! I nic z tego nie wychodzi!!!

A więc koniec z tym, koniec!

Bierze kulkę gliny.

I wrzuca ją do ognia.

To była jedyna kulka takiej gliny na świecie.

Rzeźbiarz spłonął razem z nią.

Nigdy nie będzie mógł niczego ulepić.

Nawet gdyby bardzo chciał.

Ta kulka gliny to życie, które masz tutaj na Ziemi.

Dopóki trzymasz ją w rękach, jest szansa, że ulepisz z niej dzieło sztuki, z którego będziesz zadowolony.

Jeśli ją zniszczysz, odbierzesz sobie wszystkie szanse.

Samobójstwo nie prowadzi do niczego. Zamyka tylko wszystkie drogi.

Jestem absolutnie przekonana, że lepiej jest BYĆ, szukać, próbować, tworzyć, nawet przegrywać – ale żyć i mieć szansę zwyciężać.

Nie warto umierać.

Życie może być fantastyczne.
Życie będzie fantastyczne jeśli dasz sobie szansę.
Nie odrzucaj siebie.
Nie kieruj się nienawiścią i strachem.

Zacznij siebie lubić i akceptować.
Daj sobie przyjaźń i wsparcie.
Wtedy zyskasz siłę, żeby żyć tak, jak pragniesz najbardziej.

Kiedy przestałam czekać aż ktoś wreszcie zechce pogłaskać mnie po głowie i pochwalić, zaopiekowałam się sobą.
Naprawiłam moje życie.
Musiałam włożyć w to trochę wysiłku i pracy, ale to jest najlepsza inwestycja wszechczasów!

Wiesz co jest najlepsze?
Że umiem się cieszyć.
Cieszę się słońcem. I deszczem.
Kiedy słyszę jak latem o poranku śpiewają ptaki, serce mi topnieje ze szczęścia.
Nawet dla takich krótkich chwil warto żyć.

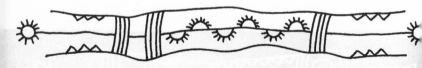

Nawet dla takich krótkich chwil
warto żyć ☺

ROZDZIAŁ 42

Konsekwencje

Na dyskotece poznałam chłopaka, który tańczył ze mną przez pół nocy, a potem zaproponował, żebyśmy znaleźli jakieś spokojniejsze miejsce.

Zgodziłam się, bo czemu nie?

W dyskotece dudniła muzyka, ciągle ktoś nas potrącał, trudno było rozmawiać.

Wyszliśmy na dwór i weszliśmy do małego klubu kilka ulic dalej. Usiedliśmy przy stole, zamówiliśmy coś do picia. Chłopak wyciągnął dziwnie cienkiego papierosa, najpierw sam się zaciągnął, a potem poczęstował mnie. Przez jakiś czas rozmawialiśmy, piliśmy szampana i paliliśmy skręty. Nie pamiętam już kto pierwszy poruszył temat pisarstwa, ale bardzo szybko znaleźliśmy wspólny temat: ja pisałam książki, a on pisał opowiadania.

Poczułam się w siódmym niebie. Nareszcie spotkałam bratnią duszę!

Wypytywałam go o tematy, akcję, opowiadałam o moich doświadczeniach, aż wreszcie on zaproponował, że pokaże mi swoje opowiadania. A ja się zgodziłam.

Było około drugiej nad ranem. Późne lato w Londynie. Przez całą noc tańczyliśmy, piliśmy alkohol i paliliśmy marihuanę. Czy naprawdę nie zdawałam sobie sprawy z niebezpieczeństwa, w jakie się pakuję? Czy nie słyszałam dzwonka alarmowego w swojej głowie? Czy w ogóle zastanowiłam się co robię i jakie to może mieć konsekwencje?...

Tak. Troszeczkę się zastanowiłam.

Ostrzegawcza myśl przemknęła przez moją głowę, ale została zignorowana. Bardziej potrzebowałam poczuć się potrzebna niż bezpieczna. Tak bardzo pragnęłam odnaleźć bratnią duszę, że wszystko inne stało się nieważne. W poszukiwaniu przyjaciela zachowywałam się jak ćma lecąca prosto w płomień świecy, w którym zginie.

Ponad wszystko chciałam być z kimś.

Blisko.

Chciałam, żeby ktoś mnie rozumiał, podziwiał i chwalił.

Krótko mówiąc – chciałam być kochana, bo tego właśnie nie byłam w stanie dać samej sobie.

Dla siebie byłam wrogiem.

Od innych oczekiwałam opieki.

Wtedy nie zdawałam sobie z tego sprawy.

Dopiero dzisiaj to rozumiem.

Jeżeli gonisz za miłością, przyjaźnią, za bliskością drugiego człowieka, to znaczy, że uciekasz od siebie.

Odrzucasz siebie i chcesz, żeby zaakceptował cię ktoś inny.

I jesteś wtedy gotowa popełnić każde szaleństwo i ponieść największe ryzyko, żeby osiągnąć to, co wydaje się twoim celem, chociaż w rzeczywistości wcale nim nie jest. Bo przecież ty nie wiesz czy człowiek, za którym tak uporczywie gonisz, jest w stanie spełnić twoje oczekiwania.

Tak samo jak ja nie wiedziałam. Siedziałam w londyńskim klubie z papierosem w jednej ręce i kieliszkiem szampana w drugiej, całowałam się z obcym facetem i myślałam, że on jest odpowiedzią na wszystkie moje pytania i spełnieniem moich marzeń.

Wyszliśmy z klubu w ciepłą lipcową noc. Szliśmy przez puste ulice.

Nawet nie pamiętam jak ten chłopak miał na imię.

W końcu stanął przed jednym z domów, otworzył drzwi i zaprosił mnie do środka. A potem od razu zamknął drzwi na klucz i schował go do kieszeni.

Tknęło mnie lekkie przeczucie, ale je zignorowałam. Założyłam, że chłopak jest uczciwy – tak samo jak ja.

Zapytałam gdzie ma swoje opowiadania, a on zaczął szukać czegoś w szufladach.

Czwarta nad ranem, powoli zaczyna świtać.

Chłopak mógł wyjąć z szuflady pistolet, nóż albo kawałek sznura, żeby mnie udusić. Mógł zrobić ze mną wszystko. Sama przecież zgodziłam się przyjść do jego mieszkania.

Z własnej woli paliłam z nim marihuanę i piłam alkohol. Tańczyłam nad brzegiem przepaści nie zastanawiając się co będzie jeśli się poślizgnę i zacznę spadać.

Miałam szczęście. Chłopak nie zabił mnie i chyba nie miał takiego zamiaru. Zgwałcił mnie, a potem zapadł w kamienny sen. Nie mogłam go obudzić.

Nie mogłam znaleźć kluczy, które gdzieś schował. Nie miał ich w żadnej z kieszeni. Spał tak mocno, że wyglądał jak martwy.

Był już wczesny poranek. Nie mogłam się wydostać z mieszkania i wolałam nie czekać aż chłopak się obudzi.

Wyjrzałam przez okno. Pierwsze piętro, niezbyt wysokie. W dole trawnik przystrzyżony równo po angielsku i żywopłot. Pomyślałam, że jeśli zrzucę na trawnik siedzenia i poduszki z kanapy, a potem ostrożnie opuszczę się na rękach z okna, to mam szansę dość miękko wylądować i uciec.

Zebrałam z kanapy miękkie siedzenia, wyrzuciłam je za okno celując na trawnik, ale odległość była większa niż mi się wydawało. Część poduszek spadła na żywopłot i chodnik.

Rozejrzałam się jeszcze raz czy niczego nie zostawiłam, a potem usiadłam na parapecie i zaczęłam się pomału opuszczać w dół.

Chciałam się zwiesić na rynnie, ale kiedy za nią złapałam, rynna z potwornym trzaskiem urwała się, a ja zleciałam na trawnik ściskając ją w rękach.

Ktoś otworzył okno, słyszałam jakieś głosy, więc nie oglądając się więcej za siebie czym prędzej uciekłam. Byłam wolna.

Kilka ulic dalej zatrzymałam się, otrzepałam z ziemi i trawy, przygładziłam włosy i ruszyłam prosto do „domu". Czyli pokoju, który wynajmowałam u Alice, Irlandki, żony wojskowego z Trynidadu i Tobago. Ich syn miał narzeczoną Szkotkę. I wszyscy mieszkali w tym samym domu w północnym Londynie.

Dotarłam na miejsce przed szóstą rano. Wszyscy jeszcze spali. Wzięłam bardzo długą, gorącą kąpiel, a potem poszłam jak co dzień do pracy.

Powoli zaczynała do mnie docierać świadomość tego, co się stało.

Byłam przerażona, że mogę być w ciąży, że zachoruję, że nie udźwignę ciężaru wspomnień. Wyzywałam siebie w duchu od głupich, nieodpowiedzialnych, naiwnych idiotek.

Nikomu nic nie powiedziałam, nie zgłosiłam na policję, bo co miałam zgłosić?... Że sama wpakowałam siebie w kłopoty, a teraz proszę o pomoc?...

Poza tym ja przecież pracowałam nielegalnie, na czarno i nie miałam ochoty ściągać na siebie żadnych dodatkowych kłopotów.

Kiedy przestałam siebie wyzywać od kretynek, pomyślałam, że tak dalej nie może być.

Ja nie mogę być wrogiem samego siebie.

Nie chcę robić rzeczy, które są dla mnie złe.

I wyciągnęłam z tego zdarzenia kilka ważnych wniosków. **Najważniejszy z nich był taki, że trzeba myśleć o konsekwencjach tego co robisz.**

Bo przecież zawsze jest jakiś ciąg dalszy, prawda? Zawsze jest jakiś efekt tego, co robisz.

I chodzi o to, żeby zastanowić się jaki będzie ten efekt ZANIM to zrobisz. Bo jeśli pomyślisz o konsekwencjach, to być może wcale nie będziesz chciała zrobić tego, co planowałaś.

Jeśli robisz rzeczy nielegalne, nie będziesz mógł szukać legalnej pomocy policji i sądu.

Jeśli zgadzasz się pójść z nieznajomym do jego mieszkania, to tym samym dajesz mu milczącą zgodę na to, żeby cię skrzywdził.

Jeśli pijesz alkohol z obcym człowiekiem, to nie będziesz w stanie kontrolować tego, co może się zdarzyć.

Jeśli będziesz się zachowywać jak zaślepiona ćma w pogoni za błyskiem światła, to w najlepszym razie osmalisz sobie skrzydła, w najgorszym razie – zginiesz.

Miałam szczęście. Nie zostałam zamordowana ani pobita, nie zachorowałam, nie zaszłam w ciążę. A przede wszystkim – zrozumiałam.

Powiem to jeszcze raz, chociaż wiem, że napisałam o tym wiele razy w tej książce, ale to naprawdę jest najważniejsza rzecz, jaką odkryłam w życiu:

Moje życie jest w moich rękach
Mogę je zbudować, ale równie łatwo
mogę je zburzyć – przez własną
bierność i bezmyślność

Moje życie jest w moich rękach.

Jestem odpowiedzialna za siebie.

Ja mogę moje życie zbudować, ale równie łatwo mogę je zburzyć – przez własną głupotę, nieodpowiedzialność, nieuwagę, naiwność, bierność, bezmyślność.

Każdy twój czyn dokądś cię prowadzi.

Zastanów się „dokąd" zanim to zrobisz.

I nigdy nie zgadzaj się na myślenie w rodzaju „jestem nikim, nie jestem nic warta, nic nie jest ważne, nikomu na mnie nie zależy".

Ty sama musisz dbać o siebie i sama musisz znaleźć dobrą drogę do własnego szczęścia.

Nie zgadzaj się na niszczenie, bo ono doprowadzi cię do ślepego muru.

Zajmij się budowaniem.

ROZDZIAŁ 43

Egoizm

Jako dziecko czasem słyszałam zarzut, że jestem egoistką. Bardzo się tym przejmowałam i rosło we mnie poczucie winy.

Egoista według słownika to *człowiek, który przedkłada własny interes nad dobro innych; samolub.*

Ale mam wrażenie, że w relacjach między ludźmi czasem ktoś posługuje się tym słowem tylko po to, żeby narzucić komuś własną wolę.

Wyobraź sobie taką sytuację: mąż i żona zakładają sklep z owocami. Mija sześć miesięcy. Sklep nie przynosi zysków. Po dwóch latach żona chce go sprzedać, a mąż protestuje.

W końcu jednak trafia się kupiec. Żona przekonuje męża, że nie ma sensu prowadzić sklepu, który przynosi tylko straty. Mąż mówi, że bardzo lubi zapach pomarańczy unoszący się w sklepie kiedy rano otwiera drzwi.

Żona odpowiada, że nie będzie więcej pracować w tym sklepie i trzeba go sprzedać kiedy jest okazja.

– Ty egoistko! – mówi mąż. – Myślisz tylko o sobie!

I ma wtedy na myśli to, że żona nie myśli wyłącznie o nim i nie kieruje się w życiu troską o jego dobre samopoczucie.

Bo przecież tak naprawdę ta żona nie „przedkłada własnego interesu nad dobro innych", a jedynie ma własne zdanie, które różni się od zdania jej męża.

Pewnego dnia odkryłam, że powinnam dbać o to, co jest dla mnie ważne. Kierować się własnym sumieniem i podejmować decyzje zgodnie z własnym przekonaniem, nawet jeżeli to oznacza, że ktoś poczuje się z tego powodu rozczarowany albo zraniony.

I kiedy jako nastolatka usłyszałam po raz kolejny, że jestem egoistką, odpowiedziałam:

– Tak, jestem egoistką! I chcę być egoistką!

Miałam wtedy na myśli to, że sama będę podejmować decyzje dotyczące mojego życia. I miałam rację.

Trzeba umieć zachować równowagę.

Można zostać Matką Teresą i pójść do zakonu, żeby nieustannie służyć innym ludziom. Ale jeśli nie jesteś zakonnikiem i prowadzisz normalne życie, nie kieruj się wyłącznie tym, czego pragną inni ludzie.

Miej własne zdanie i podejmuj decyzje w zgodzie z własnym sumieniem, nawet jeśli będziesz musiał się komuś sprzeciwić.

Oskarżenia o egoizm często padają podczas rozstań i rozwodów, kiedy jedna strona chce odejść, a druga jest temu przeciwna:

– Myślisz tylko o tym, jak tobie będzie wygodniej. Guzik cię obchodzi co ja czuję.

Natychmiast nabiera się wtedy poczucia winy i człowiek zaczyna się gorączkowo zastanawiać czy rzeczywiście jest okrutnym potworem, który bezmyślnie zadaje ból drugiej osobie.

Ale jeśli taki związek był dziesiątki razy wcześniej ratowany od rozpadnięcia, jeśli przez cały czas coś w nim kuleje, czegoś w nim brak, coś ciągle się psuje i zamiast radości przynosi smutne wrażenie utonięcia w oceanie beznadziei, to postanowienie o rozstaniu nie jest przecież „przedkładaniem własnego interesu nad dobro innych". Jest raczej podjęciem trudnej decyzji, że między dwiema osobami narosło tak dużo nieporozumień, konfliktów i wzajemnych żali, że nie widzą możliwości ich rozwiązania.

Być może dopiero kiedy się rozstaniemy, każde z nas będzie umiało jeszcze raz na spokojnie i z daleka przyjrzeć się wszystkim problemom i uznać czy naprawdę były nierozwiązywalne, czy nie.

Ale wyobraźmy sobie, że na zarzut o egoizm odpowiedziałabym:

– Masz rację! Kierowałam się tylko tym, że trudno mi żyć w związku, w którym od dawna brak radości, wspólnych zainteresowań i szacunku. Jaką byłam egoistką! Myślałam tylko o tym, że kiedy od ciebie odejdę, będę mogła znów być wolna i szczęśliwa, robić wreszcie to co lubię, nigdy więcej już się z tobą nie kłócić i nie słuchać twojego wiecznego dołującego narzekania. Myślałam tylko o sobie!

Gdybym tak powiedziała i została, to stałabym się więźniem własnego poświęcenia. Żyłabym z kimś kierując się poczuciem winy i litości wobec drugiego człowieka, który czułby się nieszczęśliwy beze mnie. I tak samo nieszczęśliwy ze mną. Ale woli być ze mną niż sam.

Żadne z nas nie byłoby szczęśliwe.

Dlatego wolę zranić człowieka i powiedzieć mu prawdę niż udawać, że go kocham.

Bo każde kłamstwo prędzej czy później wyjdzie na jaw. Każda nieszczerość obróci się przeciwko tobie, nawet jeżeli pozornie miałeś dobre intencje kierując się litością i współczuciem.

Znam ludzi, którzy całe życie poświęcili pomaganiu innym. Zawsze byli gotowi przyjść, porozmawiać, załatwić jakąś sprawę. Sami się oferowali, nie żałowali na to czasu ani emocji. Niczego nie robili dla siebie, zawsze myśleli o tym, żeby dobrze było wszystkim dookoła.

Marta strugała synom kije do hokeja, mężowi zawsze stawiała obiad na stole, siostrze załatwiała tanie wycieczki nad morze, matce cyklinowała podłogi, sąsiadce zanosiła własnoręcznie lepione pierogi – zawsze była zajęta robieniem czegoś dla innych. Nigdy dla siebie. I wszyscy dookoła chętnie przyjmowali jej dary, bo czemu mieliby odmówić?

Z biegiem czasu Marta zaczęła popadać w dziwną depresję. Z osoby aktywnej i chętnej do pomocy zamieniła się w zmęczoną kobietę, która nie wiedziała co zrobić ze swoim czasem. Nie zdążyła rozwinąć żadnego hobby, nie miała szczególnych zainteresowań ani marzeń. Nigdy nie zastanawiała się czego pragnie dla siebie, bo zawsze tylko była gotowa spełniać pragnienia innych ludzi.

Moim zdaniem w jej życiu zabrakło bycia egoistką. Taką, która czasem powie sąsiadce, że nie przyjdzie oglądać z nią filmu – chociaż wie, że sąsiadka nie lubi być sama i sprawi jej tym przykrość.

W takiej sytuacji Marta rzeczywiście klasycznie jak w definicji „przedłożyłaby własny interes nad dobro innych" – ale w szerokiej perspektywie wszystkim wyszłoby to na dobre. **Czy rozumiesz na czym polega zdrowy egoizm?**

Na tym, żeby dbać o siebie tak samo jak dbasz o innych.
Na tym, żeby twoje potrzeby były równie ważne jak potrzeby innych ludzi. I żebyś zajmowała się nimi z takim samym poświęceniem jak zajmujesz się sprawami innych ludzi.

Zauważyłaś być może, że napisałam „równie ważne"?

Nie chodzi o to, żeby zajmować się wyłącznie sobą i uważać swoje kaprysy za najważniejsze. To byłaby ta niedobra odmiana egoizmu, kiedy nie obchodzi cię czego potrzebują inni.

Chodzi o to, żeby być dla siebie tak samo dobrym i troskliwym przyjacielem, jakim jesteś dla innych.

Tylko tyle.

I dlatego kiedy ktoś zaprasza mnie na poniedziałek rano na spotkanie w bardzo ważnej sprawie, ja odpowiadam:
– Przepraszam, w poniedziałek rano jestem zajęta.

W tym sensie jestem egoistką —
czyli człowiekiem, który szuka szczęścia
i postępuje zgodnie ze swoim sumieniem
— nawet wbrew woli innych ludzi

Bo to jest mój czas.

W poniedziałek rano piszę nowy rozdział mojej książki. Dbam, o to, żeby mieć czas na to, co jest dla mnie ważne. W tym sensie jestem egoistką.

Bardzo chętnie omówię tę bardzo ważną sprawę w poniedziałek po południu, kiedy wypełnię zobowiązania wobec siebie.

Jestem egoistką, żeby chronić mój czas. Zależy mi na tym, żeby zrealizować to, do czego się zobowiązałam i co zaplanowałam.

Jestem otwarta na potrzeby innych, ale jeżeli nie są to sprawy życia i śmierci, zajmuję się nimi dopiero po moich własnych najpilniejszych zajęciach.

Znam swoje pragnienia i marzenia i staram się je realizować. Czasem kosztem tego, że ktoś poczuje się rozczarowany, że na spotkanie z nim mogłam poświęcić tylko godzinę, a nie całe popołudnie.

W tym sensie jestem egoistką. Czyli człowiekiem, który szuka szczęścia, podejmuje decyzje i postępuje zgodnie ze swoim przekonaniem i sumieniem nawet wbrew woli innych ludzi.

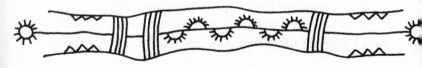

ROZDZIAŁ 44

Ludzie-wampiry

Spotkałam ludzi, którzy potrafią wysysać energię jak wampiry. Łatwo ich rozpoznać. Wiem też jak można się przed nimi bronić.

Człowiek-wampir często się skarży. Szuka zrozumienia i pomocy u innych ludzi. Chętnie opowiada o swoich schorzeniach, przypadłościach, pechowych przypadkach i nieszczęściach. W naturalnym odruchu człowiek pragnie mu jakoś pomóc. Przejmuje się, szuka sposobu rozwiązania problemów. Dzwoni, pyta, zastanawia się. W końcu przybiega z radością do człowieka-wampira i mówi mu co mógłby zrobić, żeby zmienić swoją sytuację na lepsze.

Człowiek-wampir słucha, kiwa głową, a potem nie robi nic.

Bo on wcale nie chce poprawić swojego życia.

On jest skoncentrowany na pielęgnowaniu krzywdy, żalu i swojego nieszczęścia. Czuje się lepiej kiedy może przerzucić swoją niedolę na innych ludzi. Wtedy wystarcza mu to, że przez pewien krótki czas jest w centrum zainteresowania. Ktoś się o niego troszczy, ktoś się wzrusza jego losem, ktoś chce mu pomóc.

To jest coś w rodzaju emocjonalnej anoreksji.

Człowiek-wampir jest uzależniony od poczucia krzywdy, rozgoryczenia i nieszczęścia, ponieważ w ten przewrotny sposób zdobywa uwagę innych ludzi.

Rozumiesz?

Gdyby zrobił coś konstruktywnego ze swoim życiem, gdyby załatwił swoje trudne sprawy, nie miałby się już na co skarżyć i nie znalazłaby nikogo, kto zechciałby go z takim współczuciem i uwagą słuchać.

Dlatego kiedy wampir opowiada o swoich niedolach, wcale nie chce ich zmienić. On tylko chce o nich opowiadać.

Niby z pozoru nie ma w tym nic złego. Ktoś czuje się samotny i niekochany, więc próbuje w ten sposób zwrócić na siebie uwagę.

Ale ludzie-wampiry roztaczają dookoła złe, smutne myśli, destrukcyjne podejście do życia, bezradność i bierność.

Wykorzystują innych ludzi. Chłoną ich energię i napełniają się nią jak zużyte baterie, które bardzo szybko znów się rozładują i będą szukały nowej ofiary.

Łatwo sprawdzić kto jest człowiekiem-wampirem.

Mam podać przykład?

Choćby człowiek chory na serce, który pali papierosy. Skarży się na ból, duszności, opowiada o tym jak mu ciężko, trudno i niewygodnie, ile kosztują lekarstwa, jak długo trzeba czekać na wizytę u lekarza, a kiedy powiesz, że najlepiej byłoby rzucić palenie, bo wtedy sercu jest lżej, on powie:

– Ja mam tak mało przyjemności w życiu! Nie chcę sobie tego odmawiać!

Świadomie działa na własną szkodę, ale nie chce się do tego przyznać.

Znajdzie następną ofiarę, której będzie mógł opowiadać o swoich najnowszych dolegliwościach, kąpiąc się w czyimś współczuciu i poświęceniu.

Wampiry zwykle nawet nie słuchają tego, co się do nich mówi. Potakują i robią mądre miny, ale puszczają słowa mimo uszu, nie starając się nawet zrozumieć ich sensu. A potem wracają do przerwanego wątku opowieści o swoich nieszczęściach. Kiedy mówisz do wampira:

– Czy ty mnie w ogóle słuchasz?...

– Oczywiście! – odpowiada wampir. – Mówiłeś o tym, że powinienem prowadzić bardziej aktywny tryb życia. Ale widzisz, z moim skrzywieniem kręgosłupa, wadą postawy i płaskostopiem...

Ludzie-wampiry mają talent do znajdowania osób, które łatwo będzie wciągnąć w tę grę.

Ja też często ich spotykałam i byłam przez nich wykorzystywana. To był wzajemnie korzystny – ale jednocześnie wzajemnie chory – układ.

Człowiek-wampir nie szuka
rozwiązania swoich problemów
chce tylko przelać swoje złe myśli,
bezradność i bierność na innych

Ja cieszyłam się, że ktoś mnie potrzebuje, a wampir cieszył się, że może mi godzinami opowiadać o swoich chorobach i zmartwieniach.

Bardzo serio dbałam o moje wampiry. Szukałam coraz to nowym rozwiązań, skoncentrowałam się prawie całkowicie na tym, żeby ich ocalić od ich własnej bezsilności. Ale po pewnym czasie zauważyłam, żadna moja rada nie była dość dobra, a oni sami nie robili nic, żeby sobie pomóc.

Aż wreszcie zaczęłam dostrzegać, że wracamy ciągle do tych samych tematów, a reakcja na moje słowa jest zawsze powierzchowna i nic z niej nie wynika.

Bo tak jest właśnie zbudowany ich basen nieszczęścia, żalu i cierpienia, w którym tak chętnie sami się kąpią i do którego wciągają innych. Nigdy nie mieli zamiaru oczyścić wody w tym basenie ani z niego wyjść.

Wiesz dlaczego tak jest?
To jest dokładnie ten sam syndrom, na który cierpi człowiek uzależniony od alkoholu albo anoreksji.

Kiedy jesteś w środku przestraszonym dzieckiem, czujesz przymus, żeby zrobić coś, dzięki czemu poczujesz się bezpiecznie.
Pewnie powiesz, że nie jesteś przestraszonym dzieckiem.
Ale ja nie piszę teraz o czymś, co podlega twojej decyzji. Mówię o tym, co znajduje się w twojej podświadomości.

Jeżeli zachowujesz się nieracjonalnie w jakikolwiek sposób, to znaczy, że rządzi tobą głęboko ukryte, przestraszone wewnętrzne dziecko. Ono zmusza cię do takich zachowań, które mają mu przynieść poczucie ukojenia, bezpieczeństwa, akceptacji.

A ty oczywiście nie lubisz siebie, nie znosisz swojego ciała albo swoich myśli, nienawidzisz tego, że jesteś gorsza i inna, więc jeszcze bardziej dobijasz to swoje wewnętrzne dziecko, które szaleje ze strachu.

Jest tylko jeden sposób, żeby to zmienić.

Musisz nauczyć się żyć ze sobą w pokoju.

Więcej powiem.

Musisz nauczyć się lubić siebie i być swoim przyjacielem.

Wtedy twoje wewnętrzne dziecko zacznie się uśmiechać, a ty razem z nim.

Człowiek-wampir wysysa siły z innych ludzi, żeby poczuć się przez chwilę potrzebny i bezpieczny. Bo sam nigdy siebie nie zaakceptował, nie polubił i nauczył się o siebie dbać.

Dlatego w taki żałosny sposób będzie manipulował innymi ludźmi, a jednocześnie będzie coraz bardziej pogrążał się w swoich chorobach i nieszczęściach.

Można go ocalić tylko w jeden sposób. Dać mu miłość i wsparcie. Dobre słowo i serdeczny uścisk. Ale nie można go uratować wbrew jego woli. Nie można za niego żyć. Nie można za niego podejmować rozsądnych decyzji.

On sam może zmienić swoje życie.

Ale może to zrobić dopiero, kiedy będzie na to gotowy.

Nie wtedy, kiedy ty jesteś gotowa i przynosisz mu gotowe rozwiązania.

Tylko wtedy, kiedy on sam będzie chciał coś wreszcie zrobić.

Kiedy człowiek-wampir prosi o radę, spróbuj życzliwie mu ją przedstawić. Nie krytykuj, nie osądzaj, nie stosuj szantażu i nie próbuj go do niczego zmuszać.

Jeśli nie skorzysta z twojej rady i nie zrobi nic, żeby sobie pomóc, uszanuj jego wybór.

Pomoc drugiemu człowiekowi ma sens wtedy, kiedy obie strony chcą zmiany na lepsze i są gotowe włożyć trochę pracy w osiągnięcie celu. Jeżeli pacjent nie ma ochoty wyzdrowieć, to żaden lekarz mu nie pomoże.

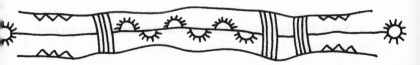

ROZDZIAŁ 45

Jałmużna

Długo czułam się nieswojo na widok kogoś, kto siedzi na ulicy i prosi o wsparcie. Czasem spotykałam takich ludzi przed sklepem, w pociągu czy na parkingu.

Nie wiedziałam jak się zachować. Czułam się przez nich atakowana i osaczona, bo z jednej strony im współczułam, ale z drugiej strony odnosiłam wrażenie, że ich prośba o pieniądze narusza moją wolność, bo trudno jest w takiej sytuacji odmówić. Czułam się w pewien sposób zmuszona do tego, żeby dać pieniądze. Albo nie dać i mieć wyrzuty sumienia.

W końcu zaczęłam się nad tym zastanawiać.

Pierwsza rzecz, do której przyznałam się uczciwie przed samą sobą, była taka, że to, co mnie naprawdę złości w tej sytuacji, to moje własne myśli.

Bo przecież żebrak tylko tam stał.

To ja dopowiedziałam do jego obecności tyle różnych rzeczy – że coś muszę, że jest mi z tym niewygodnie, że czuję się zniewolona, że jeśli nie dam pieniędzy, to będę miała wyrzuty sumienia.

Czyli tak naprawdę byłam zła na samą siebie.

Czyli mówiąc inaczej – najbardziej zniewalające było moje myślenie o tej sytuacji, a nie sytuacja sama w sobie.

Pójdźmy o krok dalej.

Nie znam nikogo, komu żebranie sprawiałoby przyjemność. Ludzie, którzy proszą o pieniądze, zapewne czują się upokorzeni. Być może doświadczyli jakiegoś nieszczęścia, które zmusiło ich do szukania pomocy u obcych ludzi na ulicy.

A kiedy idziesz sobie spokojnie ulicą, to nie masz ochoty patrzeć na czyjeś cierpienie, prawda? I dlatego taka osoba budzi twój gniew. Zakłóca twój spokój. Ale czy naprawdę twój spokój jest ważniejszy od tego jak ten człowiek się czuje?

Na widok żebraka zawsze przez myśl przebiegało mi podejrzenie:

– A może to cwaniak, który chce po prostu łatwo zarobić na butelkę piwa?

Przyglądałam mu się. Jeśli był nietrzeźwy albo w inny sposób budził moje podejrzenia, odmawiałam. Zawsze jednak gdzieś głęboko w sercu powracało do mnie pytanie:

– A może się pomyliłam?... A może to był głodny człowiek, któremu pożałowałam dwóch złotych?...

Pewnego zimowego wieczoru pod sklepem klęczał mężczyzna z pochyloną głową. Przed nim stał plastikowy kubek. Było zimno, wiał wiatr. Nie było widać jego twarzy, bo klęczał bez ruchu i bez słowa, z zaplecionymi ciasno rękami. Minęłam go.

Ani drgnął. Kubek był pusty. Zrobiłam zakupy, wyszłam ze sklepu i znów go minęłam idąc do samochodu. Kubek był wciąż pusty, a mężczyzna wciąż się nie poruszył. Załadowałam zakupy do bagażnika. Zatrzymałam się.

Wyobraziłam sobie, że to ja klęczę pod tym sklepem na zimnym chodniku. Jestem głodna i czuję bezmiar rozpaczy, który już nawet nie przelewa się przeze mnie, ale trwa jak ogromny czarny ocean, którego stałam się więźniem.

Nie mam pracy, nie mam żadnego źródła dochodu, nie wiem dokąd pójść, nie wiem jak sobie poradzić, nie mam już nawet siły, żeby prosić o pomoc.

Nie mam nic, nawet nadziei.

Czuję się wypalona w środku, pusta, czarna i zimna, tak jakbym była pomnikiem zrobionym z kamienia. Co mam ze sobą zrobić?...

Nic już nie wiem i niczego nie pragnę. Ale jak zwierzę, które nie chce samotnie umierać w swojej norze, wyjdę między ludzi i tam usiądę.

I oto właśnie klęczę pod sklepem na chodniku, jest zimno, wieje wiatr, ludzie wchodzą i wychodzą, mijają mnie, pewnie są zadowoleni, że o nic ich nie proszę, więc tylko na mój widok odwracają wzrok i przyśpieszają kroku, udając, że mnie tam nie ma.

Być może dając monetę człowiekowi, który o nią prosi, przywrócę mu wiarę w dobroć i dodam siły do tego, żeby zmienić swoje życie.
To jest warte wszystkich monet świata

To prawda. Nie ma mnie. Ja też się czuję tak, jakby mnie wcale nie było.

Zatrzasnęłam bagażnik i wróciłam pod sklep. Wsypałam do plastikowego kubka wszystkie monety, jakie miałam w portfelu. I dorzuciłam do nich parę ciepłych myśli.

Gdybym to ja siedziała w ciemności na tym zimnym chodniku, pomyślałabym może, że nie jestem tak bardzo sama jak mi się wydawało i poczułabym być może wdzięczność i ciepło w sercu, że ktoś okazał mi dobroć i zechciał pomóc.

I wtedy pomyślałam też, że jestem w tej szczęśliwej sytuacji, że kilka złotych nie stanowi dla mnie problemu i nie odczuję ich braku. A jeżeli te monety zmienią czyjeś życie?...

Wtedy postanowiłam, że dopóki będzie mnie na to stać, będę dawać drobne pieniądze każdemu kto poprosi. Nawet jeżeli wydaje się cwaniakiem spod budki z piwem.

Myślę, że nikt z własnej woli nie chce prosić o wsparcie na ulicy. Musiał zostać do tego zmuszony przez okoliczności. I ja nie będę osądzać czy żebrak proszący o wsparcie jest oszustem, czy nie.

To on sam rozsądzi we własnym sumieniu.

Moje sumienie będzie czyste. Być może dając monetę człowiekowi, który o nią prosi, przywrócę mu wiarę w dobroć, może uratuję go przed smutkiem, może przed głodem i samotnością. Dodając do tego uśmiech być może dodam mu siły do tego, żeby zmienił swoje życie. To jest warte wszystkich monet świata.

A poza tym – i to jest najważniejsze pytanie, które sobie zadaję w tej sytuacji:

– Kim ja jestem, żeby oceniać drugiego człowieka?

Nic o nim nie wiem. Mogę tylko coś z grubsza zgadywać na podstawie twarzy albo ubrania. Ale czy mam w ogóle prawo oceniać to, co on robi, kim jest i czy jest wystarczająco wart tego, żeby go wspomóc?

Nie.
Nie chcę oceniać.
Nie chcę osądzać kto jest wart wsparcia, a kto nie.
Jeżeli ktoś mnie prosi, zawsze daję. Po prostu.
Jeżeli ktoś prosi, to znaczy, że tego potrzebuje. Ja nie chcę osądzać czy to jest słuszna potrzeba, czy nie. Wystarczy mi informacja, że on tego potrzebuje.

– Proszę bardzo – mówię wtedy i się uśmiecham.

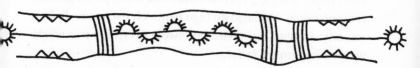

ROZDZIAŁ 46

Odchudzanie się i dieta

Przez wiele lat uważałam, że jestem za gruba i powinnam schudnąć. W szkole stawałam przed lustrem i mówiłam do siebie z obrzydzeniem:

– Ty tłusta beko!

Beka to wielka beczka. Tak, tak, nie znosiłam swojego wyglądu.

Nie znosiłam siebie, a odchudzanie traktowałam jak karę, którą wymierzam sobie z zemsty za to, że nie jestem taka, jaka chciałabym być.

Z takim nastawieniem miałam małe szanse powodzenia.

Wieczorem najadałam się słodyczy. Wtedy czułam do siebie jeszcze większy wstręt, że mam taką słabą wolę, że nie powinnam była zjadać jeszcze jednego ciastka, że jestem taka głupia, że sobie na to pozwalam i tak dalej, i tak dalej...

Zasypiałam z postanowieniem, że „od jutra rano" zacznę się odchudzać. Udawało mi się wytrwać przez dzień lub dwa.

Człowiek, który siebie nie lubi i nie akceptuje, nie wygrywa.

Po prostu.

Traci tylko czas i energię na walkę z samym sobą, która do niczego nie prowadzi. Bo przecież wcale nie chodzi o to, żeby siebie unicestwić. W gruncie rzeczy chodzi o coś dokładnie przeciwnego: człowiek walczy z sobą samym z rozpaczy, że nie może siebie polubić.

Wymierzanie sobie pokuty za karę, że jestem za gruba, za niska czy za głupia nie prowadzi do niczego oprócz pogłębiających się kompleksów i zagubienia.

Sto razy szybciej i lepiej osiągniesz cel kiedy to robić d l a   s i e b i e, a nie przeciw sobie.

I dlatego dzisiaj myślę, że dieta jest czymś bardzo przyjemnym. Ponieważ prowadzi do osiągnięcia takiej sylwetki, jaką chciałabym mieć. Stosowanie diety wcale nie jest dla mnie cierpieniem ani męczarnią.

Szczerze wolę owoce od słodyczy, a rybę od kotleta.

Czuję się zdrowa i silna. Jestem szczęśliwa.

Udało mi się schudnąć, stosuję wymyśloną przez siebie dietę i prowadzę bardzo przyjemny, zdrowy tryb życia.

Zasada mojej diety jest prosta: jem kilka razy dziennie niewielkie, zdrowe posiłki.

Podkreślam słowo „zdrowe" – bo to jest właśnie podstawa skutecznej diety.

Nigdy nie jem tego, co jest niezdrowe. Nie dlatego, że sobie zabraniam. Po prostu dlatego, że chcę być zdrowa.

To znaczy, że nigdy nie jem niczego, co jest śmieciowym jedzeniem: pizzy, hot-dogów, hamburgerów, lodów, słodzonych koktajli, zapiekanek, nadziewanych tortilli, skrzydełek i innych części smażonego kurczaka, frytek, kupnych kanapek i żadnych słodyczy – ani batonów, ani cukierków czy ciastek ze sklepu.

Nie używam białego cukru, śmietany, majonezu, masła ani margaryny. Nie jem żadnych sosów, majonezu ani keczupu. Niczego nie smażę. Nie jadam mącznych wyrobów takich jak pierogi, naleśniki, kluski czy makaron.

Jestem wegetarianką, nie jem mięsa ani wędlin.

Kiedyś okazało się, że mam za mało czerwonych ciałek krwi. Pani doktor stanowczo zaleciła codzienne spożywanie jednej porcji mięsa. Rozejrzałam się po sklepie, ale na nic nie miałam ochoty – nie pociągały mnie żadne szynki, balerony, kiełbasy, nie mówiąc już o kotletach i tatarach.

Na szczęście niedługo potem spotkałam w Peru panią Marię, a ona zawołała:

– Ach, nieprawda! Wcale nie trzeba jeść mięsa, żeby być zdrowym! Ja zamiast mięsa jem orzechy. Zamiast kaszanki jem awokado. Cudowny owoc! Dojrzałe awokado wystarczy rozsmarować nożem na bułce jak masło.

I to był pierwszy dobry trop.

Zaczęłam dużo czytać na ten temat i dzisiaj jestem przekonana o tym, że mięso nie tylko nie jest potrzebne, ale może poważnie zaszkodzić. Więcej napiszę o tym w serii książek „W dżungli zdrowia".

Jestem wegetarianką.

Jem orzechy i nasiona, jem warzywa, różne kasze i brązowy ryż, jem fantastyczne warzywa strączkowe – takie jak fasola, ciecierzyca, soczewica i wiele innych – które mają mnóstwo białka.

Zawsze jem śniadanie. Zawsze jem niewielki ciepły lunch. Nie jem kolacji.

Na śniadanie od kilku miesięcy codziennie jem gorącą owsiankę z kaszą jaglaną, siemieniem lnianym, daktylami i rodzynkami i mówię wam, to jest najlepsze śniadanie na świecie!

Opracowałam własny przepis – znajdziesz go na następnej stronie.

A najbardziej zaskakującym odkryciem było dla mnie to, od czego zależy skuteczna dieta.

Wcześniej, kiedy postanawiałam po raz kolejny zacząć się odchudzać, usiłowałam tak zorganizować sobie życie, żeby było w nim jak najmniej wysiłku. Na przykład kupowałam kilka kilogramów owoców i spędzałam cały dzień w domu, żeby się przypadkiem nie zmęczyć.

I to było bez sensu!

Bo nie chodzi przecież o to, żeby żyć na zwolnionych obrotach i podporządkować się głodówce.

Owsianka

z siemieniem lnianym, moja ulubiona

*Przepis zgodny z filozofią pięciu przemian
w starożytnej medycynie chińskiej*

Składniki:
- 1 łyżka kaszy jaglanej
- 3 łyżki płatków owsianych
- 1 łyżka siemienia lnianego
- 1 truskawka (albo do wyboru: cząstka pomarańczy, kawałek mandarynki, malina, kilka jagód lub kawałek kwaśnego jabłka)
- 1 łyżka rodzynek
- 1 suszony daktyl
- 1 suszona figa albo morela
- 1 łyżka pestek słonecznika
- 1 łyżka pestek dyni
- po ćwierć łyżeczki: Cynamon, imbir, kurkuma
- 1 goździk

Zagotuj trochę wody w małym garnku (ok. pół szklanki)
Dodaj opłukaną kaszę jaglaną, siemię lniane i cynamon
Wymieszaj, gotuj przez chwilę
Dodaj 3 łyżki płatków owsianych, imbir i goździk
Wymieszaj, gotuj przez chwilę

Dodaj trochę zimnej wody
Wymieszaj, gotuj przez chwilę
Dodaj 1 truskawkę pociętą w plasterki (lub inny owoc – patrz wyżej)
Wymieszaj, gotuj przez chwilę
Dolej gorącej wody (niecałą szklankę) i dodaj kurkumę
Wymieszaj, gotuj przez chwilę
Dodaj daktyla, figę lub morelę pocięte w paseczki, rodzynki, nasiona dyni i słonecznika

Wymieszaj, gotuj przez ok. 15–20 minut aż całość zgęstnieje i wchłonie wodę.

To jest moja ulubiona owsianka, którą jem codziennie na śniadanie. Tak, naprawdę codziennie. Nawet wtedy kiedy mam mało czasu, bo jadę do radia prowadzić mój niedzielny program. Ale to jest owsianka, która sama się gotuje.

Nastawiam więc owsiankę w garnku i zajmuję się innymi sprawami, które trzeba zrobić w niedzielny poranek – kąpielą, ubieraniem, czesaniem i tak dalej. Kiedy skończę, moje śniadanie jest gotowe! I jest pyszne!!!!

P.S.
Używam tylko zwykłych płatków owsianych, takich gdzie płatki są grube i w całości. Błyskawiczne płatki się nie nadają do gotowania.

Wprost przeciwnie!

Chodzi o to, żeby mieć szczupłą sylwetkę, a jednocześnie siłę i chęć do pracy!

I dlatego jedyne skuteczne odchudzanie to dieta oparta na zdrowym pożywieniu.

Jeżeli naprawdę chcesz schudnąć, skończ ze śmieciowym jedzeniem i ze słodzonymi napojami w każdej postaci. Mam na myśli napoje słodzone cukrem oraz słodzikami, bo te słodziki są jeszcze bardziej tuczące niż biały cukier.

Skończ ze wszystkimi słodyczami. Jeśli potrzebujesz coś słodkiego, zjedz suszone owoce albo trochę miodu.

Skończ z alkoholem, który ma tylko puste kalorie.

Skończ ze wszystkimi gotowymi daniami, które można kupić w sklepie, bo to one właśnie zawierają tuczące, syntetyczne dodatki. Mam na myśli zupy w proszku, soki z kartonu, rybki z puszki i wszystkie inne rzeczy gotowe do zjedzenia.

Jeśli naprawdę chcesz schudnąć i być zdrowa, zacznij dbać o siebie.

Czy wiesz ile jest rodzajów kasz w Polsce? A czy wiesz, że każda z nich jest super zdrowa i dietetyczna? Pod warunkiem oczywiście, że nie polejesz jej tłustym sosem.

Bądź aktywna.

Czy wiesz, że ruch i wysiłek fizyczny wyzwalają w tobie pokłady ukrytej siły?

Naprawdę. Odkryłam, że kiedy jestem zmęczona i naprawdę nic mi się nie chce, wystarczy wyjść na spacer albo wskoczyć na rower, żeby nabrać energii i poczuć się świetnie.

Zaczęłam uprawiać sport i chodzić na regularne treningi, a im bardziej byłam zmęczona, tym więcej znajdowałam w tym zadowolenia, radości i nowej siły.

Z mojego doświadczenia wynika więc, że DOBRA dieta powinna spełniać trzy warunki:

Jestem na diecie dlatego, że siebie lubię.

Nie odwrotnie. Dieta nie może być karą, którą nakładasz na siebie, bo wtedy wewnętrznie jesteś nastawiona przeciwko niej, czujesz się upokorzona i zniewolona. A przy takim nastawieniu nie masz szansy na osiągnięcie celu.

Bądź dla siebie przyjacielem.

Wyznacz sobie dobry cel i myśl pozytywnie.

Robię to, bo CHCĘ to zrobić, zależy mi na tym, to jest dla mnie dobre.

Lubię się zmęczyć.

Bądź aktywna. Nie siedź naburmuszona w domu, tylko wyprowadzaj się na dwór. Nie pytaj czy masz na to ochotę. Po prostu wyprowadź się na spacer jak swojego najlepszego przyjaciela.

Poczuj wiatr i słońce na twarzy. Podczas wysiłku krew szybciej krąży, serce mocniej bije, złe myśli uciekają, a razem ze słońcem i ruchem pojawia się radość i pozytywna energia.

Jem wszystko, ale tylko zdrowe rzeczy.

Zapomnij o liczeniu kalorii. Twój organizm doskonale sobie poradzi z jedzeniem – pod warunkiem, że będzie to jedzenie zdrowe, czyli naturalne. Bez żadnych syntetycznych dodatków. Bez żadnych sztucznych słodzików, regulatorów kwasowości, wypełniaczy, przeciwutleniaczy, barwników, emulgatorów i tak dalej.

Jedz orzechy, kasze, ryż, warzyw strączkowe i inne warzywa, nasiona słonecznika i dyni, zioła i owoce.

Nie używaj żadnych gotowych sosów z butelki ani z proszku, bo jest w nich więcej chemii niż pożywienia.

Skończ z fast foodem, alkoholem i słodyczami.

Jestem gotowa się założyć, że jeśli uczciwie spełnisz te trzy warunki, szybko zrzucisz nadmiar kilogramów.

Nie warto też oszczędzać na jedzeniu, bo w ten sposób oszukujesz samą siebie.

Nie traktuj swojego ciała jak śmietnik, do którego można wrzucić rzeczy najtańsze albo nadpsute.

Tylko zdrowe i świeże rzeczy mają wartości odżywcze. Lepiej jest kupić jedną zdrową, świeżą paprykę niż dwie przecenione. Lepiej mieć tylko trzy zdrowe jabłka niż kilogram nadpsutych.

Bądź dla siebie przyjacielem.

Jedz zdrowo po to, żeby o siebie zadbać.

Twój organizm odpowie zdrowiem i siłą.

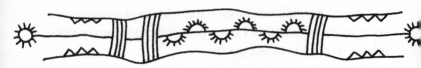

ROZDZIAŁ 47

Owoce

Uwielbiam owoce, ale tak naprawdę dopiero w Ameryce Południowej nauczyłam się je jeść.

W Polsce mamy dużo owoców, ale właściwie rzadko można zobaczyć dorosłego człowieka z jabłkiem w ręce.

W Ameryce Południowej na każdym rogu ulicy stoi prosty wózek z owocami. Na skrzyżowaniach czekają sprzedawcy bananów albo gotowych porcji papai czy ananasa. A w krajach bardziej tropikalnych wszyscy piją koktajle owocowe. I dorośli, i dzieci.

Wystarczy skromna budka zbita z desek. Na ladzie leżą świeże owoce i stoi stary, wysłużony mikser. Podchodzisz, wskazujesz na ulubione owoce, a sprzedawca płucze je w misce z wodą, obiera, kroi i miksuje z dodatkiem wody albo mleka. Ach, jakie to jest pyszne!

W Ameryce Południowej nauczyłam się
robić koktajle ze świeżych owoców
Są pyszne!

Są różne lokalne odmiany i specjalności. W niektórych częściach Brazylii najbardziej popularny jest koktajl z bananów i mleka z cukrem. W okolicach Belem i Manaus robi się koktajl owocowy z dodatkiem orzechów i guarany. Na południu Kolumbii można spróbować koktajlu z bardzo rzadkiego owocu o nazwie *cupuasu*. Wygląda jak gruby ogórek w brązowej, twardej, aksamitnej skorupce. Ma wyjątkowy smak i aromat, którego nie można porównać z niczym znanym w naszej szerokości geograficznej.

Zwyczaj picia koktajli owocowych przywiozłam do Polski.

Zasada jest prosta: świeże, sezonowe, lokalne owoce zmiksowane z ulubionymi dodatkami.

W moim przypadku najlepszym dodatkiem do ulubionych owoców są inne owoce.

Nie używam mleka ani cukru.

Zamiast wody dodaję „mokre" owoce – takie jak arbuz, truskawki, pomarańcze, grejpfruty.

Mój ulubiony letni koktajl to kawałek arbuza + 2 brzoskwinie + garstka malin. Jesienią dodaję kawałek jabłka. W zimie jest mało owoców, używam więc pomarańczy i grejpfrutów w połączeniu z jabłkami i gruszkami.

Kiedyś robiłam koktajle z dodatkiem bananów, ale od kilku lat banany jem tylko w tropikach. To, co jest w Polsce nazywane bananem, to daleki, nieżywy krewny prawdziwego tropikalnego banana.

Banany są przywożone do Europy w paczkach zalanych konserwantami. Potem umieszcza się je w dojrzewalniach i zalewa innymi środkami chemicznymi, żeby sztucznie pobudzić do dojrzewania.

To nie są banany. To są syntetyczne podróbki bananów.

Owoce to najlepsze możliwe źródło cukrów, których twój organizm potrzebuje. Zwróć uwagę, że mówię o „cukrach", a nie o „cukrze".

Biały cukier to syntetyczna substancja, która nie występuje w naturze. I jak wszystkie sztuczne rzeczy ma trudny do przewidzenia wpływ na twój organizm. Na razie wiadomo na pewno, że biały cukier osłabia, wywołuje depresję i niszczy układ odpornościowy – czyli pośrednio przyczynia się do różnych chorób i dolegliwości.

Cukry w owocach to samo zdrowie! Natura specjalnie stworzyła je w taki sposób, żeby były idealnie dopasowane do ludzkiego organizmu.

Owoce – świeże i suszone – to jedyne słodycze, jakie jem.

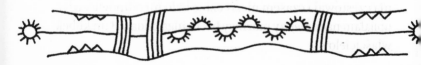

ROZDZIAŁ 48

Yerba mate

Z Ameryki Południowej przywiozłam jeszcze jeden kulinarny zwyczaj, który towarzyszy mi codziennie rano: yerba mate.

Moje pierwsze doświadczenie nie było przyjemne. Podróżowałam wtedy po Paragwaju, gdzie prawie każdy człowiek rozpoczyna dzień od zaparzenia yerba mate w drewnianym kubku. Spróbowałam i ja, z wielką ciekawością.

Ostrożnie pociągnęłam napar przez metalową rurkę i myślałam, że spadnę z krzesła! To było ohydne!!!

Napar był piekielnie gorący, mocny, gorzki, z jakimś wstrętnym trawiastym posmakiem.

– Nigdy w życiu! – postanowiłam wtedy.

Ale yerba mate to zwyczaj towarzyski. Ciągle ktoś mnie nią częstował i czasem niezręcznie było mi odmówić, więc upijałam najmniejszy możliwy łyk i z ulgą oddawałam kubek właścicielowi.

Ale dziwna rzecz. Po kilku dniach sama zaczęłam się rozglądać kto ma świeżo zaparzoną yerbę, bo niespodziewanie nabrałam na nią ogromnej ochoty!

Według paragwajskiej legendy Bóg Pa'i Shume podarował Indianom yerba mate, żeby zapewnić im zdrowie, energię i długie życie.

Wyniki badań amerykańskich naukowców potwierdziły, *że yerba mate zawiera praktycznie wszystkie witaminy niezbędne do przeżycia ludzkiego organizmu. Trudno byłoby znaleźć na świecie jeszcze jedną roślinę o równie nieprzeciętnych wartościach odżywczych.*

Według źródeł naukowych, do których udało mi się dotrzeć, yerba mate podnosi odporność, czyści krew i usuwa z niej substancje toksyczne, przywraca równowagę układu nerwowego, opóźnia starzenie się, zmniejsza zmęczenie, pobudza umysł, odchudza, wzmaga siły, pomaga na stres i bezsenność. Ma właściwości stymulujące, przeczyszczające, ściągające, moczopędne, napotne i przeciwgorączkowe. Zawiera witaminy i minerały: A, C, E, B-1, B-2 i B-6; kwas pantotenowy, biotynę – czyli witaminę H, magnez, wapń, żelazo, sod, potas, mangan, krzem, fosfor, siarkę, cynk, kwas chlorowodorowy, chlorofil, cholinę oraz inozytol.

Długo poszukiwano tajemniczej substancji, której yerba mate zawdzięcza swoje właściwości. Nazwano ją w końcu mateiną. W rzeczywistości mateina to odmiana kofeiny – podobnie jak teina i guaranina. Jest jednak pewna ogromna różnica pomiędzy yerba mate a kawą.

Indianie uważają, że yerba mate
daje zdrowie, energię i długie życie

Tajemnicą pobudzającego działania yerba mate jest połączenie trzech substancji zwanych ksantynami: kofeiny, teobrominy i teofiliny. Wspierają wzajemnie swoje działanie w taki sposób, że efekt pobudzenia jest bardziej trwały. Kawa daje szybkie, mocne i krótkie uderzenie, a yerba mate robi to łagodniej i na dłużej, nie atakując jednocześnie serca.

Dr José Martin, dyrektor Paragwajskiego Instytutu Technologii, pisze: *Według najnowszych badań mateina ma skład chemiczny podobny do kofeiny, ale różni się od niej wiązaniami molekularnymi. Mateina nie posiada żadnej z negatywnych właściwości, jakie ma czysta kofeina.*

Mate (*Ilex paraguariensis*) to inaczej ostrokrzew paragwajski, wiecznie zielona roślina z rodziny ostrokrzewów. Rośnie dziko w Ameryce Południowej między równoleżnikami 10° i 30°, czyli w Argentynie, Chile, Peru, Brazylii i Paragwaju, gdzie plantacje są największe.

Słowo *yerba* znaczy „zioło", a *mate* pochodzi od wyrazu w języku *quechua* „matí" oznaczające tykwę, w której sporządza się napar i z której się go pije w Brazylii i Argentynie. W Paragwaju robi się specjalne drewniane kubki, także ze świętego zielonego drzewa Indian Nivaclè, *palo santo.*

Yerba mate występuje w dwóch odmianach: jako napój przyrządzany z torebki ekspresowej oraz jako naturalny napar.

Różnica między nimi jest taka jak między wodnistą kawą rozpuszczalną a filiżanką espresso. Ziemia i niebo. Różnią się wtedy wszystkim – wyglądem, smakiem, zapachem i oczywiście mocą działania.

Ja od kilkunastu lat piję yerba mate parzoną po paragwajsku. Mam termos, drewniany kubek i *bombillę*, czyli specjalną metalową rurkę zakończoną czymś w rodzaju skrzyżowania między łyżeczką i sitkiem.

Oto jak poprawnie parzy się yerba mate:

1. Kubek z drewna albo tykwę wyparz wrzątkiem.

2. Nasyp do niego suchej yerby do 2/3 wysokości.

3. Możesz dodać szczyptę ulubionych ziół, np. rumianku, mięty, anyżku itd.

4. Wkręć rurkę w suchą yerbę i umieść w kubku tak, żeby sitko znajdowało się tuż nad dnem, a rurka przy wylocie z kubka opierała się o jego brzeg.

5. Przygotuj gorącą wodę o temperaturze ok. 80°. Wlej wodę do termosu i zakręć go. W termosie masz tylko gorącą wodę i na bieżąco dolewasz jej po trochu do kubka.

6. Do kubka z suchą yerbą nalej gotącej wody z termosu – tyle ile się zmieści. Zostawić na chwilę, aż woda wsiąknie. To pierwsze zalanie nazywa się *para Santo Tomas*, czyli dla Świętego Tomasza. Sucha yerba wciąga w siebie wodę, jakby naprawdę wypijał ją niewidzialny Święty.

7. I teraz już możesz zacząć pić. Dolej z termosu dwa-trzy łyki wody i pij przez rurkę. Rurka nie służy do mieszania. Powinna się znajdować przez cały czas w tym samym miejscu.

8. Dolej dwa-trzy łyki wody i pij przez rurkę. A potem znowu.

9. Pierwsze łyki będą najmocniejsze. A potem twój napar z każdym łykiem będzie coraz łagodniejszy.

10. Porcję yerba mate w kubku możesz pić tak długo, jak będzie ci smakowała. Ja zwykle jeden kubek yerba mate piję przez 3–4 godziny i zużywam litr gorącej wody z termosu.

W Paragwaju, Brazylii, Argentynie i Urugwaju picie yerba mate jest zwyczajem towarzyskim. Jedna osoba trzyma termos, dolewa gorącej wody i podaje kolejnym osobom kubek. Wszyscy piją przez tę samą rurkę.

W Paragwaju gorącą yerba mate pije się rano. Około południa, kiedy upał staje się nie do zniesienia, pije się *tererè*. Zamiast kubka z drewna używa się krowiego rogu (zwanego *guampa*), a zamiast wrzątku – wody z lodem i świeżymi ziołami. Sposób przygotowywania i picia jest taki sam jak przy gorącym naparze.

Ja piję yerba mate codziennie rano. Towarzyszy mi w pisaniu książek. Dziwna rzecz, ale potwierdzają to wszyscy, którzy zaczynają pić yerba mate – traci się ochotę na mocną kawę i mocną herbatę. Prawdopodobnie dlatego, że chociaż yerba mate zawiera mniej kofeiny, to jej połączenie z teobrominą i teofiliną jest tak pozytywnie skuteczne, że kawa staje się niepotrzebna.

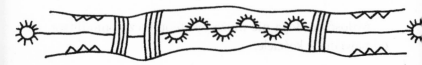

ROZDZIAŁ 49

Bóg i religia

Miłość do Boga to chrześcijaństwo w teorii.
Kochanie ludzi – to teoria wprowadzona w czyn.
Rozumiesz?

Kochanie Boga jako istoty wyższej, poddanie się mu
z pokorą, wielbienie go słowami i modlitwami, bycie mu
posłusznym w pokucie i akceptowaniu swojego losu to tylko połowa tego, co moim zdaniem jest zadaniem dobrego
chrześcijanina. Druga połowa to traktowanie innych ludzi
z życzliwością, przyjaźnią i dobrą wolą.

Dobry chrześcijanin to dobry człowiek. Taki, który
chętnie pomaga ludziom w potrzebie, cieszy się z cudzego
szczęścia, jest uczciwy, szczery i godny zaufania.

Miłość do Boga nie może być teoretyczną modlitwą
odmawianą w kościele.

Prawdziwy Bóg mieszka w ludziach
Twoje słowa i czyny świadczą o tym
czy jesteś dobrym chrześcijaninem
– czyli po prostu dobrym człowiekiem

Miłość do Boga najlepiej widać poza kościołem.

Dobry chrześcijanin to taki człowiek, który nosi w sercu dobro. Kieruje się na co dzień dobrem i uczciwością. Nie obmawia, nie plotkuje, nie walczy o swoje, nie zajmuje się polityką. Zamiast tego uśmiecha się, jest życzliwy, dba o siebie i o innych, karmi się zdrowym jedzeniem, postępuje uczciwie i czyni dobro.

Moim zdaniem to jest znacznie ważniejsze niż bycie „wzorowym katolikiem", który wyznaje swoją religię tylko w teorii – pielęgnuje w sobie czystą, głęboką i niczym nie zmąconą miłość do Boga, istoty nierealnej, nieosiągalnej i dalekiej. W każdą niedzielę – albo i częściej – przychodzi na mszę świętą, żarliwie się modli, pamięta o przestrzeganiu świąt kościelnych, składaniu ofiary, odbywa przepisane pokuty i żyje w przekonaniu, że dzięki temu trafi do raju.

Ale nie można rozdzielić niedzielnego życia w kościele od codziennego życia wśród ludzi.

Bo prawdziwy Bóg wcale nie mieszka w rajskim ogrodzie, w niebie, w kościele ani na świętych obrazach.

Prawdziwy Bóg mieszka w ludziach. Dlatego twoje słowa i czyny skierowane do innych ludzi najlepiej świadczą o tym, czy jesteś dobrym chrześcijaninem i czy wypełniasz przykazania Boga.

Na lekcjach religii nikt chyba o tym nie wspomniał. W ciemnej, zimnej sali uczono nas modlitw i hymnów, ale nie przypominam sobie, żeby ktoś uczył nas okazywania serdeczności i przyjaźni. Obraz Boga, jaki wyniosłam z lekcji religii, był wyniosły i daleki, nie miał właściwie nic wspólnego z życiem codziennym. Bóg znajdował się w kościele, więc uczono mnie, że moim obowiązkiem jest klękać, pokornie wyznawać wiarę, spowiadać się księżom i przyjmować pokutę.

Myślę, że taki rodzaj wiary w Boga – teoretycznej i oderwanej od życia codziennego – jest iluzją, której ludzie używają dla polepszenia sobie samopoczucia.

Chcą wierzyć w to, że jeśli wypełnią obowiązek chodzenia do kościoła, to zostaną zbawieni. Będą bezpieczni. Trafią do raju, gdzie nigdy już o nic nie będą musieli się martwić.

Kiedyś bardzo mnie przerażała ta wizja.

Czy to znaczy, że jeśli nie chodzę do kościoła, zostanę odrzucona? Trafię do piekła i będę cierpiała męki?

To była jedna z tych rzeczy, które wydawały mi się nielogiczne i niesłuszne. Tak samo jak wykuwanie dat i wzorów, żeby zaliczyć klasówkę.

Czy naprawdę jest możliwe, że miłość Boga to tylko matematyczna zależność liczby niedziel spędzonych w kościele?

Długo się nad tym zastanawiałam.

W szkole średniej stwierdziłam nawet, że religia jest nie dla mnie. Bóg jest potrzebny innym ludziom, ale nie mnie.

A potem nagle mnie olśniło.

Bóg nie jest kościołem zbudowanym przez ludzi!
Bóg jest znacznie większy niż kościół.

Powiem inaczej:
Kościół jest wynalazkiem ludzi. To ludzie zapragnęli

umieścić Boga w jednym miejscu. Wszystkie religie są wynalazkiem ludzi. I tylko dlatego różne religie wydają się być ze sobą sprzeczne, a czasem ze sobą walczą.

Bo Bóg jest czymś znacznie większym niż religia i Kościół. Myślę, że Bóg jest najczystszym wcieleniem Prawdy i Miłości.

Jest taką formą bytu, jakiej ludzie nie są w stanie zrozumieć i opisać.

Ale ponieważ ludzie chcą na wszystko nakleić etykietkę, postanowili zdefiniować też Boga – mimo że moim zdaniem to jest niemożliwe. Dlatego nadali mu imię, przypisali mu historię, namalowali mu wąsy, brodę i długie włosy.

Z istoty Boga zrobili instytucję, bo tak było łatwiej i dawało iluzję, że mają nad tym pewną władzę.

Dlatego dzisiaj wierzę w Boga. Ale nie wierzę w Kościół.

Wierzę w to, że Bóg jest moim przyjacielem. Jest czystą formą Miłości, więc jest czymś w rodzaju światła, które oświetla każdego, kto znajdzie się w jego zasięgu. Jest jak słońce. Kiedy słońce świeci na niebie, nie wybiera ludzi, którzy bardziej zasługują na dostęp do jego promieni, prawda?

I tak samo jest z Bogiem.

On świeci miłością. Jeśli ty masz miłość w sobie, jesteś blisko Boga.

Po prostu.

Prawdziwa wiara w Boga objawia się każdego dnia poza kościołem. W sklepie, w pracy, na ulicy, w szkole, w urzędzie, na przystanku i w autobusie. W lesie, na łące, w ogrodzie i na morzu.

Kiedy dajesz innym dobro, jesteś blisko Boga.
Tylko tyle wystarczy do zbawienia.

Bądź dobrym człowiekiem.
Bądź uczciwy.
Bądź życzliwy.
Kochaj siebie i wszystkie żywe istoty.
Nie rań nikogo bez potrzeby.
Nie zrywaj bezmyślnie kwiatów ani liści z drzewa.
Bądź łagodny dla zwierząt.
Bądź życzliwy wobec ludzi.
Wtedy poczujesz Boga w swoim sercu.

ROZDZIAŁ 50

To, co mam

Byłam kiedyś na pustyni Guajira w północnej części Kolumbii. Brakowało wody. Żeby się wieczorem umyć, musiałam kupić wiadro wody za dolara. I jedno wiadro musiało wystarczyć na całą kąpiel.

Podczas wędrówki przez dżunglę amazońską bardzo doskwierało mi to, że kiedy świeci słońce i jest gorąco, zapasy żywności szybko się psują, a woda do picia jest ciepła. A potem, gdy zapada noc i robi się chłodno, gorące jedzenie za szybko stygnie, a woda jest zbyt zimna, żeby napić się jej do woli.

Kiedy spałam w hamaku pod liściem palmy nad Orinoko, często zaczynała lać tropikalna ulewa. Nie ma nic bardziej otrzeźwiającego niż lodowate strumyki wody wlewające się pod ubranie do ciepłego hamaka.

Wiele razy obozowisko trzeba było rozbijać w miejscu, gdzie jedynym źródłem wody była błotnista kałuża.

W pobliżu nie było rzeki ani najmniejszego strumyka. Nie można było nawet umyć zębów, nie mówiąc już o kąpieli po dziesięciu godzinach ciężkiego marszu w wilgotnym upale.

Czasem udawało się dotrzeć na brzeg rzeki zamieszkanej przez stada głodnych piranii. Do wyboru miałam zostać na brzegu i wyschnąć w słońcu na wiór, albo ryzykować kąpiel z piraniami. Najczęściej wybierałam to drugie.

Dopiero podczas podróży zrozumiałam jacy jesteśmy bogaci – my, ludzie z Europy. Kiedy straciłam bezpieczny i nieprzemakalny dach nad głową, dostęp do bieżącej wody, do takich niezwykłych wynalazków jak pralka, lodówka czy środek komunikacji miejskiej.

Wyobraź sobie, że kiedy masz brudne ubranie, musisz zejść na brzeg rzeki, wziąć kawałek niebieskiego mydła do prania i natrzeć nim każdy fragment brudnej koszuli, spodni i skarpetek. Natychmiast zlatują się do ciebie stada wielkich gryzących much, moskity roznoszące malarię, mrówki, osy i inne owady, których jedynym marzeniem jest pożywić się twoją krwią, twoim potem i łzami.

Kiedy namydlisz wszystkie swoje brudne ubrania, musisz je wyszorować. Potem będziesz je płukać w rzece, odganiając się obiema rękami od atakujących owadów. Minie co najmniej godzina zanim będziesz mógł wstać i poszukać kawałka liany, na której możesz rozwiesić pranie. Jeśli przyjdzie nagły wiatr, wszystko spadnie na piasek albo błoto i będziesz musiał je prać na nowo.

Czy wyobrażasz sobie, że codziennie musiałbyś prać ręcznik i ubranie w rzece?...

Długo nie zdawałam sobie sprawy
z tego jakim jestem bogaczem
i jak łatwo dostałam w życiu rzeczy,
o które ludzie muszą walczyć:
  bezpieczny dom
możliwość uczenia się
i decydowania o mojej przyszłości

Kiedyś mieszkałam w wiosce indiańskiej w dżungli przy granicy kolumbijsko-brazylijskiej, gdzie skończyło się jedzenie. Myśliwi poszli na polowanie, ale nie wracali przez kilka dni. Wszyscy byli głodni. Ja też. Z zapasów zostało tylko kilka owoców palmowych, które po ugotowaniu mają tłusty, mdły smak. Po kilku dniach zaczęłam płakać z głodu.

Czy wyobrażasz sobie taką sytuację, kiedy nie ma gdzie znaleźć, dostać ani kupić jedzenia?.... Możesz je sobie tylko upolować, ale każdy obiad i kolacja uciekają przed tobą co sił w nogach i chowają się na wierzchołkach czterdziestometrowych drzew albo głęboko pod ziemią. Nie istnieją sklepy, restauracje ani lodówki. Wszyscy ludzie dookoła są tak samo głodni jak ty, bo zjedli wszystkie zapasy.

Na małej wyspie w Brazylii spotkałam dziewczynkę, która miała jedenaście lat. Urodziła się w bardzo biednej rodzinie. Ich całym dobytkiem była chata zbita z desek i blachy. Na noc rozwieszano hamaki, żeby wszyscy mogli się zmieścić pod jednym dachem, a w dzień hamaki zdejmowano, żeby zrobić miejsce na przygotowanie posiłku i dla biegających dzieci. Ta dziewczynka stawała czasem w progu i patrzyła w dal wielkimi, czarnymi oczami – tak jakby marzyła o tym, żeby móc odmienić swój los – pójść do szkoły, zobaczyć jak wygląda świat poza jej małą wioską na wyspie.

Pewnego wieczoru stała i w milczeniu patrzyła jak się pakuję do dalszej drogi, a ja nagle zrozumiałam jakie miałam gigantyczne szczęście w życiu i jak wiele rzeczy bez trudu dostałam, chociaż wcale nie zasługiwałam na nie bardziej niż ta brazylijska dziewczynka.

Tak samo poczułam się kiedyś na pustyni Sahara w Afryce, gdy po kilku godzinach jazdy w burzy piaskowej, zatrzymaliśmy się na postój w chatach zbudowanych z kamieni przez Beduinów. W pewnej chwili podszedł do mnie chłopiec i zapytał czy mam cukierka. Powiedziałam, że nie mam, a on popatrzył na mnie smutnymi oczami i odszedł. I nagle aż do szpiku kości zmroziła mnie myśl, że to mogłam być ja – to ja mogłam się urodzić w beduińskiej rodzinie na pustyni, gdzie pasałabym wielbłądy i nawet nie wiedziałabym o tym, że gdzieś daleko dzieci chodzą do szkoły, do kina, jeżdżą na wakacje.

Rozejrzyj się dookoła i zobacz, co masz.

Pewnie nawet nie zwróciłeś nigdy uwagi na to, że masz dach, który nie przecieka, że masz łóżko i nie musisz marznąc w nocy na dworze, że masz wolność poruszania się, wolność wyboru, że masz kogoś, kto się o ciebie troszczy, że nie musisz głodować ani cierpieć z pragnienia.

Wyobraź sobie, że równie dobrze mogłeś się urodzić na przedmieściach Bombaju w biednej hinduskiej rodzinie niedotykalnych. Zarabiają na życie wykonując takie prace, którymi nie chce się zajmować nikt inny, na przykład wywożeniem nieczystości. Nie wolno im się zbliżać do innych „lepszych” ludzi. To mógłbyś być ty.

Albo równie dobrze mógłbyś być sierotą w wiosce trędowatych, który może liczyć tylko na siebie i przez cały czas boi się, że też zachoruje, ale nie ma pieniędzy, żeby stamtąd uciec.

Albo mogłeś zostać porzucony na schodach kościoła gdzieś w Rosji i żyć teraz jako bezdomne dziecko w kanałach, gdzie można znaleźć choć trochę ciepła i robić to, co inni bezdomni: wąchać klej i próbować zapomnieć o przyszłości.

Myślisz, że to niemożliwe?
Ja widziałam takich ludzi i wiem, że to tylko kwestia szczęśliwego przypadku, że nie jestem jednym z nich.

Długo nie zdawałam sobie sprawy z tego, jakim byłam bogaczem i jak łatwo przyszło mi w życiu wiele rzeczy, o które niektórzy ludzie muszą walczyć. Choćby takich jak bezpieczny dom, możliwość chodzenia do szkoły, uczenia się, rozwijania swoich zainteresowań, decydowania o swojej przyszłości.

I te najprostsze rzeczy, które wydawały mi się takie oczywiste: gorąca woda w kranie, szafa pełna ubrań do wyboru, kołdra, którą mogę się przykryć kiedy jest mi zimno, czysta i bezpieczna łazienka, w której nie czai się żaden wąż, skorpion ani pająk...
Takie rzeczy zaczyna się doceniać dopiero wtedy, kiedy je człowiek straci. I wtedy dopiero zaczyna myśleć o tym, jakim był szczęściarzem, kiedy je miał.

Czasem kiedy słyszę jak wiatr hula po dworze wzbijając w powietrze kłęby deszczu ze śniegiem, siadam w fotelu i czuję głęboką wdzięczność na myśl, że nie muszę być teraz tam, po drugiej stronie muru, ale mam gdzie się schować i rozgrzać. Bo przecież równie dobrze mogło się zdarzyć tak, że byłabym TAM, a nie TUTAJ, prawda?... Ty też.

ROZDZIAŁ 51

Moja dżungla

Byłam małą dziewczynką, kiedy dotarła do mnie informacja, że na świecie znajduje się kilka kontynentów i dziesiątki różnych państw, gdzie mieszkają ludzie o różnych kolorach skóry, językach, wierzeniach, tradycjach i zwyczajach. Wydało mi się to tak fascynujące, że wymyśliłam grę w podróże w wyobraźni. Dlaczego ja to ja? Dlaczego przyszłam na świat akurat w mieście nad morzem w Polsce? Jak wyglądałoby moje życie, gdybym urodziła się w wiosce afrykańskich Masajów? Co jadłabym na śniadanie, gdybym była córką indiańskiego wodza nad Amazonką? Jakiego koloru miałabym oczy, gdybym mieszkała w dolinie Nepalu?

Przymierzałam się do tych wszystkich miejsc, stawałam się bohaterką wszystkich książek podróżniczych, filmów, fotografii i opowieści. To ja pędziłam z Tuaregami na wielbłądach przez piaski Sahary, ja byłam kapitanem Korkoranem w indyjskiej dżungli, ja zbierałam ryż w Wietnamie i chodziłam nowojorską ulicą zadzierając głowę, żeby popatrzeć na czubki błyszczących w słońcu drapaczy chmur.

Nie musiałam nawet zamykać oczu. Przenosiłam się w wyobraźni w dowolne miejsce na Ziemi. Wydawało mi się nawet, że słyszę plusk wioseł w przejmującej ciszy australijskiego poranka, czuję zapach kurzu wzbijany przez końskie kopyta w Teksasie, smak świeżej kropli wody po wędrówce przez skwar amazońskiej puszczy i kąsanie pięćdziesięciostopniowego mrozu podczas śnieżycy na Alasce.

Przenosiłam się tam w wyobraźni całą duszą i myślami. Były to doznania tak pełne, bogate i intensywne, że nie potrzebowałam przekładać ich na rzeczywistość. Ja po prostu byłam już od dawna w nieustającej podróży po świecie. Mieszkałam w komunistycznym kraju o zamkniętych granicach, ale ponad wszystko chciałam być wolnym człowiekiem. Chciałam swobodnie wybrać swoje miejsce na Ziemi i zbudować tam dom, do którego z radością będę wracać z kolejnych podróży.

Pierwsza wyprawa do Ameryki Południowej była dla mnie olśnieniem. Zakochałam się. Natychmiast.

Zdarzają się czasem takie momenty w życiu, kiedy człowiek coś w i e – mimo że nie potrafi tego wyjaśnić ani udowodnić. Tak i ja czułam, że to jest miejsce, gdzie znajdę sens życia i do którego będę wracać.

Przez pierwszych dziesięć lat podróżowałam tylko po Ameryce Południowej i Środkowej. Mogłabym pojechać na inne kontynenty, ale nie chciałam. Do dzisiaj tak jest.

Kiedy wybieram czas na moją samotną wyprawę, cały świat jest przede mną otwarty. Mogę pojechać w dowolne miejsce na świecie. Ja sama decyduję o tym dokąd chce jechać i ja sama płacę za moje podróże. Mogę więc zrobić co chcę.

I najczęściej wybieram znów Amerykę Południową. To najbardziej fascynujący kontynent, jaki znam. Uwielbiam tam być.

Ciekawość zaprowadziła mnie jednak do różnych części świata. Podróżowałam po wielu krajach na sześciu kontynentach.

I odkryłam coś zaskakującego. Wielkie miasta na całym świecie wyglądają właściwie tak samo. Beton, szkło, stal i samochody. Bezduszna pustynia.

Zupełnie inaczej jest poza miastem. W małych wioskach, na targowisku, w miejscowym zatłoczonym pociągu, w lesie. Przyroda ma w sobie czystą energię i moc.

Miasto wysysa z ciebie siły.

Natura ci ich dostarcza.

Dlatego zawsze bardziej ciągnęło mnie z powrotem do dżungli nad Amazonką.

Na początku przyjeżdżałam do Ameryki Południowej raz w roku. Przez dziewięć miesięcy ciężko pracowałam, żeby zarobić odpowiednio dużo pieniędzy, a potem wydawałam je wszystkie podczas trzymiesięcznej wyprawy przez dżunglę nad Amazonką, Orinoko czy Ukajali.

Zawsze zabierałam ze sobą aparat fotograficzny, sprzęt do nagrywania dźwięków i notatnik. Chciałam zatrzymać w ten sposób wszystko co widzę, słyszę i myślę. Później okazało się, że to wyjątkowy materiał, który mogę wykorzystać w książkach. Fotografowanie i tropienie dźwięków stało się równie porywające, jak pisanie.

Odkryłam fascynujący świat, który kompletnie różnił się od życia w Europie. Wśród Indian znalazłam to, czego tak długo bezskutecznie poszukiwałam wśród dorosłych: spokój, cierpliwość, zadowolenie z tego co się ma, dumę, a także stuprocentową kompetencję w tym, co się robi.

W świecie Indian nie istnieje polityka, reklamy, pieniądze ani kościoły. Nie ma paszportów, wiz ani dokumentów, urzędników, zegarów, biur, sklepów, ciasnych miejsc pracy ani podatków. Nie ma też prądu, światła, lodówek, radia, telewizji ani żadnej innej rzeczy, które znałam z naszej cywilizacji.

Indianie mieszkają w amazońskiej puszczy. To jest ich dom. Budują szałasy z liści palmowych, śpią w hamakach zrobionych z naturalnej przędzy, uprawiają trochę bananów i manioku na małym poletku po drugiej stronie rzeki, a całą resztę jedzenia muszą wytropić, schwytać albo upolować. Choroby leczy szaman, który korzysta wyłącznie z naturalnych środków znalezionych w dżungli i potrafi przenieść się w magiczną rzeczywistość, niewidzialną dla innych ludzi, gdzie spotyka demony, przodków i rozmawia z roślinami.

Jedynym środkiem transportu jest proste indiańskie czółno zrobione z pnia drzewa, napędzane wiosłem w kształcie serca. Wieczorami nad dżunglą świeci srebrny, bajkowy księżyc i panuje tak głęboka cisza, że słyszę bicie własnego serca i szelest krwi płynącej w żyłach.

Wędrowałam razem z Indianami wąskimi, ledwie widocznymi ścieżkami wśród splątanej roślinności, przez wiele godzin dziennie, w piekielnym skwarze i stuprocentowej wilgotności powietrza, cierpiałam z nimi głód i dzieliłam radość, kiedy myśliwi wracali z polowania z garściami pysznych amazońskich mrówek.

Uczyłam się tropić zwierzęta, strzelać z łuku i przyrządzać śmiertelną kurarę z wyciągów roślinnych. Strzelałam zatrutymi strzałami z dmuchawki, robiłam fioletowy kisiel z owoców palmowych i uczyłam się rozpoznawać magiczne rośliny w puszczy. Umiem znaleźć cudowną *vilcacorę*, która jest lekarstwem na raka albo krzew *bixa orellana*, z którego robi się czerwoną farbę do malowania ciała.

Piłam wodę z wnętrza zdrewniałej liany, a podczas wędrówek po dżungli podtrzymywałam siły jedząc białą śmietanę wypływającą z kory drzewa.

Nauczyłam się odciskać trujący sok z manioku, żeby można było z niego upiec placki, przygotowywać *mambe*, czyli zielony proszek z liści koki, zażywać *rapé*, rozpoznawać pogodę po kołysaniu się liści na drzewach i znaleźć wodę kierując się głosami ptaków.

Pewnego razu spotkałam szamana, który wyjaśnił intrygującą mnie od lat zagadkę muzyki, która porywała mnie w świat zupełnie innej rzeczywistości. Powiedział mi, że wszystkie poziomy egzystencji – zarówno materialne, jak i niematerialne, takie jak na przykład myśli – posiadają swoją melodię, wibrację, rytm, nazywany przez Indian *icaro*.

Jeśli człowiek potrafi ją usłyszeć, dostroić do niej swój wewnętrzny odbiornik, może stać się jej częścią i korzystać z jej mocy. *Icaro* to esencja władzy szamana.

Szaman może zamieniać obraz na dźwięk i dźwięk na obraz. Widzi dźwięk i słyszy wizję. Maluje melodię.

Ach, a przecież ja to zawsze właśnie w taki sposób czułam! Muzyka dyktowała mi słowa i obrazy. Wystarczy włączyć się w jej tajemny rytm, żeby czerpać jej moc i inspirację.

Tysiące razy na swojej drodze spotykałam jadowite pająki, skorpiony, węże, skolopendry i trujące rośliny, nadziewałam się na kilkunastocentymetrowe kolce, spadałam w przepaści, uciekałam przed piraniami i kąpałam się w lagunach pełnych kajmanów.

Przeżyłam spotkanie z jaguarem, tropikalne choroby, ataki pasożytów, ceremonię leczenia mlekiem jadowitej ropuchy i inicjację szamańską.

Uczyłam się wydobywać złote okruchy w kopalni złota w Gujanie Brytyjskiej, chwytać kajmany i trzymać liny na jachcie podczas przeprawy przez Kanał Panamski. Strzelano do mnie zatrutymi strzałami, o mało nie zostałam sprzedana i podarowana jako żona indiańskim wodzom.

Widziałam okrucieństwa, od których krew zastygała w żyłach. Kilka razy blisko czułam zapach śmierci. W dżungli pokonałam swój strach, walczyłam ze słabościami, nauczyłam się samodzielności i siły.

I wciąż chcę tam wracać. Po powrocie z każdej wyprawy do puszczy amazońskiej zaczynam planować następną.

To najbardziej niesamowita rzecz na świecie. To jest jak przeżywanie dodatkowego życia. To niezwykły przywiej, że możemy podróżować po świecie i patrzeć jak żyją ludzie w innych cywilizacjach.

W dżungli przeżyłam najpiękniejsze i najbardziej przerażające chwile mojego życia. Tam poznałam pewnego rodzaju wiedzę tajemną, która drzemie głęboko w każdym z nas, zagłuszona hałasem miasta, uduszona kłębami spalin i zatopiona przez nieustanny pośpiech, stres i natłok informacji.

To siódmy zmysł, który pozwala mi odszukać właściwą ścieżkę nie tylko w równikowej puszczy, ale i wśród ludzi w betonowym labiryncie miast. Mieszkam więc trochę tu i trochę tam, szczęśliwa w obu miejscach.

W dżungli amazońskiej odkryłam sens i znaczenie bycia człowiekiem.

Właściwie prawie wszystko co wiem o życiu i co opisałam w tej książce, zrozumiałam wtedy, kiedy stałam się tubylcem zarówno w świecie Indian, jak i w świecie białych ludzi.

Dopiero wtedy dostrzegłam różnice i podobieństwa, i zaczęłam wyciągać z nich wnioski.

W dżungli ponad wszelką wątpliwość odkryłam to, co przeczuwałam jako nastolatka – że „dorosły" wcale nie musi wiecznie gonić za kasą, stawać na baczność przed swoim kierownikiem, żyć w rytm budzika i uciszać nieśmiały głos swojego sumienia za pomocą alkoholu, narkotyków czy innych środków.

Można być wolnym człowiekiem.

Musiałam dotrzeć na koniec świata, żeby dowiedzieć się prawdy o życiu i o sobie. Nie znalazłam ich w dżungli, tylko we własnej duszy. Odnalazłam samą siebie i znalazłam też wolność. Najlepsze w tej wolności jest to, że nie istnieje tylko

W dżungli amazońskiej odkryłam
sens i znaczenie bycia człowiekiem
Odnalazłam samą siebie
i znalazłam wolność

w Ameryce Południowej czy podczas kolejnej ekspedycji do dżungli amazońskiej. Mam ją w sercu.

Ja jestem wolna.

Wiem, że wszystko jest możliwe.
Moje życie zależy od tego, jakie podejmę decyzje i czy będę umiała konsekwentnie je realizować.
Wiem też, że nie ma sensu niczego robić na siłę ani na pokaz.
Wystarczy nauczyć się kochać.
Prawdziwa wolność to wolność od strachu, uprzedzeń i ograniczeń mieszkających w twoich własnych myślach.
Kiedy oczyścisz własne myśli, nagle zobaczysz jasną i czystą drogę przed sobą. I wtedy wystarczy tylko nią iść.
Bo kiedy nosisz w sercu dobro i miłość, droga sama cię prowadzi.

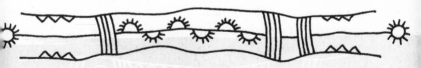

ROZDZIAŁ 52

Listy do siebie

Kiedy miałam szesnaście lat, dorośli wydawali mi się niewolnikami zarabiania pieniędzy, lakieru do włosów, ładnych ubrań, papierosów i wiecznej tułaczki między domem, zakupami, pracą, mężem lub żoną i dziećmi. Postanowiłam, że nie chcę tak się zniewolić. Na ścianie w moim pokoju wywiesiłam hasło: *Don't let people make you crazy about money, hair and clothes.* Nie pozwól się zwariować na punkcie pieniędzy, włosów i ubrań.

Uświadomiłam sobie też, że wszyscy dorośli kiedyś byli nastolatkami i wtedy inaczej podchodzili do życia. Mieli marzenia, byli wolni, szukali radości w muzyce, w pasjach, w snuciu planów na przyszłość. Potem z biegiem czasu przybywało im obowiązków i stopniowo coraz bardziej zapominali o tamtych szczenięcych latach, kiedy wszystko wydawało się łatwe i kiedy umieli się cieszyć z tego, co mają.

I wtedy pomyślałam, że chyba tylko młodzi ludzie potrafią być szczęśliwi i tylko oni są w stanie zmienić coś na lepsze. Zarówno jeśli chodzi o własne życie, jak i większe sprawy dotyczące państw i kontynentów. Bo tylko młodzi ludzie mają wciąż ideały, wierzą w pokój i dobro i występują aktywnie w ich obronie.

Dlatego postanowiłam napisać do siebie list, który miałam otworzyć jako dorosła osoba. Pisałam do siebie, żeby nigdy nie zapomnieć o czym marzyłam mając siedemnaście lat i co było dla mnie naprawdę ważne.

Chciałam zachować na zawsze tamten sposób myślenia, umiejętność cieszenia się z życia, chęć wymyślania nowych planów, wielkie nadzieje, niezależność, odwagę i gotowość do podróży w nieznane.

Najbardziej bałam się tego, że nawet nie zauważę momentu, w którym zacznę się zamieniać w poważną kobietę, dla której najważniejszy jest lakier do paznokci i pragnienie wyjścia za mąż. Nie wiem skąd miałam takie wyobrażenie dorosłości, być może był to najczęstszy obraz pokazywany w telewizji albo wynikający ze strzępów zasłyszanych rozmów.

Ale do dziś pamiętam wyraźnie kilka scen, które głęboko zakodowałam sobie w pamięci, żeby zawsze były dla mnie ostrzeżeniem.

Pierwsza z nich to ulica Zwycięstwa w Koszalinie. Miałam wtedy około dwunastu lat. Wracałam z zakupami z supersamu. Nagle przy krawężniku stanęła taksówka. Odwróciłam się i zobaczyłam kobietę biegnącą chodnikiem.

Właściwie ona nie biegła, tylko usiłowała biec – w niebotycznie wysokich obcasach, które wyglądały jak tajemna broń doczepiona do podeszew czerwonych butów. Kobieta miała tlenione włosy ułożone w loki, a jej ciało obciskała czerwona sukienka z wielkim dekoltem. Przy każdym pośpiesznym kroku jej ogromny biust podskakiwał i opadał, jak gdyby był sztucznie przylepiony do ciała.

Był to widok tak zdumiewający, że stanęłam z siatką w ręce i szeroko otwartymi oczami patrzyłam na to niezwykłe zjawisko. Kobieta z trudem stawiała kolejne kroki usiłując dobiec do taksówki, bo ruch utrudniały jej zarówno szpilkowe obcasy, jak i wąska, krótka spódnica, nie mówiąc już o torebce na ramieniu i dudniącym biuście.

To był dla mnie uderzający przykład na to, czym są dorośli. Niewolnikami swojego wyglądu, swojej pracy i rodziny.

Zacisnęłam z całej siły pięści i zamknęłam oczy, starając się wyryć ten obrazek na zawsze w mojej pamięci. Miał służyć jako przestroga.

O ile łatwiej byłoby jej iść w normalnych, wygodnych butach. I czy nie byłoby przyjemniej mieć włosy naturalnie rozpuszczone, żeby mógł się nimi bawić wiatr? Czy nie poczułaby się lepiej w sukience dopasowanej do rozmiarów jej ciała zamiast obciskającej jak gorset?... Dla kogo tak się ubrała? Dokąd się śpieszyła? Czy tego naprawdę chciała?... I czy naprawdę była zadowolona ze swojego wyglądu, czy tylko usiłowała zrobić na kimś wrażenie?...

Do dziś ją pamiętam na tamtym chodniku i do dziś nie rozumiem dlaczego i dla kogo tak się męczyła.

Zaczęłam pisać do siebie listy,
które miałam otworzyć
za 5, 10 i 20 lat, kiedy
będę już "dorosła"

Była dorosła, a więc teoretycznie wolna. Ale jednocześnie wydawała mi się niewolnikiem tego, co pomyślą lub powiedzą o niej inni ludzie.

I wtedy zrozumiałam, że wolność w mniejszym stopniu zależy od tego, co się dzieje dookoła. Największym ograniczeniem wolności jest brak wiary we własne siły, brak zaufania do siebie, brak poczucia własnej wartości. To zmusza człowieka do szukania akceptacji i potwierdzenia swojej wartości w oczach innych ludzi, a więc czyni z nich niewolników czyjejś opinii.

Och, jak bardzo tego nie chciałam!

Zaczęłam więc pisać następne list do siebie. Adresowane do siebie za pięć lat, za dziesięć, dwanaście, piętnaście lat czy w niewyobrażalnym dla mnie wtedy terminie za dwadzieścia lat, w nowym, XXI wieku, kiedy będę już *dorosła*. Kilka listów, które do siebie napisałam wiele lat temu, wciąż czekają na otwarcie.

— Pamiętaj, nigdy nie zapomnij o tym, co jest w życiu najważniejsze — pisałam do siebie. — Pamiętaj o tym ze względu na moje dobro i twoją przyszłość, która dla mnie jest teraźniejszością.

A potem wymieniałam kolejno te wszystkie rzeczy, dla których warto żyć, i takie, których zawsze chciałam uniknąć.

Ha!
Dzisiaj czuję się to samo!
Wciąż dziwią mnie dorośli, którzy narzekają, że mają ciężkie życie, złą pracę, za mało pieniędzy i za dużo kłopotów.

Narzekają, marudzą, że nic nie mogą zrobić, że są bezsilni, że świat jest dla nich taki zły.

A kiedy powiem, że przecież mają swoje życie w swoich rękach, podają od razu gotowe argumenty dlaczego nic nie mogą zrobić.

Oni uwierzyli w to, że są ofiarami rzeczywistości.

Uwierzyli w to, że są niewolnikami swoich wad, słabości i negatywnego myślenia. I dlatego wydaje im się, że nie mogą tego zmienić.

Dorośli są zwykle zniewoleni przez własne myśli i ograniczenia, które przed sobą stawiają.

Dlatego ja nie chcę być dorosła.

Nigdy nie byłam i myślę, że nigdy nie będę.

Więc dzisiaj ja piszę list do siebie.

Kochana dziewczynko, która masz siedemnaście lat. Kocham cię. Zawsze będę o ciebie dbała. I zawsze będę twoim przyjacielem.

Dzisiaj mówię do ciebie to samo, co mówiłaś do mnie wtedy.

Wciąż wierzę w to, w co wierzyłaś.

I wciąż chcę być szczęśliwym człowiekiem.

Nie dałam się zwariować na punkcie włosów, ubrań ani pieniędzy.

Jestem sobą.

I jestem szczęśliwa.

Gdyby wiedziała, że wciąż o niej pamiętam i że dzisiaj piszę o niej w tej książce, na pewno byłaby szczęśliwa. Jest szczęśliwa, bo wciąż przecież żyje we mnie.

P.S.

Mam w domu szafę,
gdzie trzymam pierwsze książki,
wiersze i opowiadania, które kiedyś napisałam.

Znalazłam w niej rzeczy, o których całkiem zapomniałam,
nigdy nie publikowane
i nie pokazywane nikomu.
Tutaj pokazuję je po raz pierwszy.
Wszystkie powstały wiele lat temu,
zanim zaczęłam podróżować i pisać książki o podróżach.

Zwariowany podwieczorek

Dziewczyna oparła się o parapet.

– Jaki mam wybór? – pomyślała. – Jeżeli stoi się pod chmurami, a chce się zobaczyć słońce, trzeba je rozpędzić w prawo albo w lewo, ale uczynić ten gest, podjąć decyzję.

– Więc co powinnam zrobić? – zapytała na głos.

Przynieś dzbanek z herbatą! – zawołała Alicja z pokoju.

Posłusznie sięgnęła po dzbanek.

– Zaczekaj – powiedział.

Zmarszczyła brwi. Kuchnia była pusta.

Tulipan w wazonie milczał.

Z dzbanka nagle wychyliła się mała kosmata głowa.

– Mówiłaś coś o robieniu? – zapytał – Znam się na tym.

– Chyba robieniu dzieci – wtrącił Tulipan. – Bez piątej klepki.

– Bez piątej klepki? – powtórzył Suseł. – Och, przepraszam, nie wiedziałem, że to jest rozmowa o beczkach. W takim razie wracam do spania.

– Sam jesteś beczka – burknął Tulipan.
– Czy to rozmowa o owieczkach? – Suseł znów wynurzył się z dzbanka. – Wydawało mi się, że ktoś coś mówił o bekaniu.
– Mówi się „beczeć", a nie „bekać".

– To zależy co ma się na myśli – oświadczył uprzejmie Suseł i oparł się łapkami o brzeg dzbanka. – I od pory dnia, oczywiście. Czy pani jest po obiedzie? Ponieważ – ciągnął nie czekając na odpowiedź – na tym właśnie polega różnica.
Nie każdy Suseł... – zaczął Tulipan.
– Każdy głupi to wie – przerwał Suseł. – Mógłbym to ująć artystycznie, ale mi się nie chce.

Położył brodę na łapkach i zamknął oczy.

Przy stole obok Alicji siedziały jeszcze dwie osoby, ale wszyscy troje byli ściśnięci w jednym rogu.
– Usiądź, bardzo proszę – powiedziała Alicja.
– Oczywiście – pomyślała dziewczyna. – Ciekawe co zrobią gdy zobaczą Susła zamiast herbaty.
– Proszę, poczęstuj się winem – powiedział jeden z gości.
– Nie mam kieliszka – uśmiechnęła się niepewnie.
– Czy ktoś mówił coś o liszkach? – zainteresował się Suseł.
– Może napije się pan herbaty? – zapytała dziewczyna tak samo grzecznym tonem, jakim zaproponowano jej wino.

– Jaka jest różnica między krokiem i piernikiem? – zapytał nagle gość w kapeluszu.

– Chyba potrafię rozwiązać tę zagadkę – powiedziała dziewczyna z ulgą.

– No to mów co myślisz.

– Myślę, że byłoby znacznie lepiej, gdyby ludzie, zamiast szukać potwierdzenia swojej wartości u innych, umieli spojrzeć w głąb siebie i ocenić czy sami siebie lubią, czy nie.

– Wcale nie. W ten sposób mogłabyś powiedzieć, że ziemniak, któremu się wydaje, że jest czerwony, jest pomidorem.

– Mogłabyś także powiedzieć – wtrącił zaspanym głosem Suseł – że „wydaje mu się, że śpi" ma to samo znaczenie, co „on śpi".

– Właśnie tak z tobą jest! – powiedział Kapelusznik. – Wydaje ci się, że coś wiesz i chciałabyś to wiedzieć na pewno.

– Wydaje mi się, że w dzbanku z herbatą siedzi Suseł i wiem to na pewno! – powiedziała dziewczyna.

– Jeżeli ci się „wydaje", to tylko ci się „wydaje", że wiesz to na pewno.

– Przesuńmy się o jedno miejsce – wtrącił Kapelusznik i wylał Susłowi na nos trochę gorącej herbaty.

– Niech Suseł nam coś opowie! – zawołał drugi gość.

– Tak, teraz twoja kolej – dodała Alicja. – I postaraj się nie zasnąć w trakcie opowiadania.

– Dania? – sapnął Suseł otwierając oczy. – Nowe dania?

– Nalej sobie więcej herbaty – odezwał się drugi gość patrząc dziewczynie prosto w oczy.

Sięgnęła po dzbanek. Po zmianie miejsc, kiedy wszyscy przesunęli się o jedno nakrycie, przypadł jej w udziale zalany herbatą talerzyk i pusta filiżanka.

– Dziękuję – powiedziała grzecznie – ale nie mogę już pić w i ę c e j herbaty. Niech Suseł nam coś opowie.

– Szybko – dodał Kapelusznik – bo w przeciwnym razie zaśniesz.

– Pewnego razu – zaczął Suseł bardzo szybko – były sobie trzy siostry, które mieszkały na dnie studni.

– Z wyboru czy z konieczności? – zapytała dziewczyna.

– A czym się żywiły? – zapytała jednocześnie Alicja.

– Żywiły się syropem – odpowiedział Suseł po długim namyśle. – Syropem. Tam rosło drzewo cytrynowe, one siedziały naokoło i przez rurkę piły syrop cytrynowy.

– Dlatego że chciały czy musiały? – powtórzyła dziewczyna.

– A co to za różnica? – rzekł Kapelusznik. – *Były* w studni, więc z jakiegoś powodu miały tam być.

– A skąd ten syrop?

– Z drzewa cytrynowego, przecież mówiłem.

– Przestań przerywać! – odezwał się z oburzeniem Kapelusznik. – Niech Suseł mówi!

– One były w tej studni, żeby uczyć się rysować – ciągnął Suseł. – Ale wcale nie miały na to ochoty. Siedziały tylko i śpiewały.

– Czy to były bliźniaczki? – wtrąciła dziewczyna, a zaraz po niej Alicja:

– A co śpiewały?

– Jeżeli nie potraficie zachować się przyzwoicie,

to dokończycie sobie same! – oświadczył obrażony Suseł.

– Mnie to chyba nie dotyczy – powiedziała Alicja. – Ja zadałam właściwe pytanie.

– Jak to „właściwe"? – zapytała dziewczyna. – Wszystkie pytania są do zadawania.

– To ból – sprostował Kapelusznik. – Tylko ból zadaje się bez namysłu. We wszystkich innych okolicznościach nic cię nie tłumaczy ani nie uniewinnia. Pytania są po to, żeby...

– ...dowiedzieć się czegoś, czego się nie wie – wtrąciła dziewczyna.

– Jaka jest różnica między krukiem a piórnikiem? – zapytał nagle drugi gość.

– Piernikiem – poprawiła Alicja.

– Odpowiedz.

– Ja? – zdziwiła się dziewczyna.

– Jeden do jednego! – zawołał Kapelusznik klaszcząc w ręce. – Tak, ty! Właśnie odpowiedziałem na twoje pytanie, więc jesteś mi winna jedną odpowiedź!

Fragment książki pt. „Wielka rzeka".

Baron Ptaszny – prolog

Jak trudno napić się herbaty w zatłoczonym autobusie! Ludzie przysuwali się do kasowników, do siebie, do szyb, do drzwi, potem oddalali się od tego wszystkiego, bez namysłu, bez żalu ani radości; dotykali, puszczali, wsiadali, wychodzili, szli dalej. A na ich miejsce przychodzili następni. A za oknem ulica. Herbaty nie było. W domu sprawa jest prostsza – jest kuchnia, czajnik i szklanka. Ale w autobusie jest więcej ludzi, więc i czajników powinno być więcej.

Kiedy spojrzałam na Barona Ptasznego, od razu wiedziałam, że to jest ktoś. Nie siedział, pozostawiając to innym pasażerom. Był też zbyt dumny na to, żeby trzymać się rozgrzanych, pokrytych potem uchwytów albo szukać oparcia o rozedrgane ściany. Baron po prostu stał, nie będąc częścią ani autobusu, ani jego pasażerów, ani nawet ulicy o przyśpieszonym, letnim rytmie.

Miał ubranie bez śladu kurzu, absolutnie czarne i równie doskonałą białą koszulę. Na lśniącej powierzchni jego cylindra tańczyło światło.

Zapomniałam o herbacie. Byłam tylko zaciekawionym kibicem refleksów ulicy, nieba i szyb wędrujących po kapeluszu Barona Ptasznego.

W pewnej chwili do autobusu wleciał ptak. Zauważyłam go dopiero wtedy, gdy usiadł na cylindrze Barona. Ludzie odsunęli się depcząc sobie po nogach i zaszeptali:
– Presti... tidigi... prestidigita....digitator...

Ptak odpoczął, a potem wyfrunął tuż za plecami pasażerów wsiadających na kolejnym przystanku. Zrobiło się trochę ciemniej. Baron został otoczony ludźmi. Wychyliłam się niecierpliwie szukając wzrokiem jego błyszczącego kapelusza. Wtedy tuż przed moją twarzą pojawiła się filiżanka z parującą zawartością.
– Świeżo parzona – pomyślałam.
Pobiegłam oczami dalej. Na rękę w aksamitnie czarnym rękawie, spod którego zuchwale wysuwał się skrawek śnieżnobiałego mankietu. Baron Ptaszny stał prosto jak strzała. Jedynym zgięciem w jego postaci było ramię podające mi filiżankę.
– Wypij – odezwał się Baron głosem miękkim i lekko chropawym, jak przystało na arystokratę.

Herbata była piekielnie gorąca. A ja byłam bardzo zmarznięta. Czyżby upalne popołudnie zamieniło się w chłodny, deszczowy wieczór?

Baron zrobił krok w lewo i odsłonił mi okno. W tej samej chwili zasyczały drzwi i do wnętrza autobusu wdarło się mroźne powietrz i śnieg. Baron bez słowa wziął mnie za rękę i wyprowadził na ulicę.

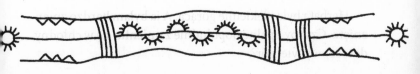

Jamnik

Droga była szara i podobna do gorącej kuchni, gdzie właśnie gotuje się makaron, a potem jedną nitką przekłada się go na talerz. I nawet jeśli makaron będzie miał swój koniec, tak kuchnia i czynności w niej odbywane trwają nieskończenie.

Makaronowe były więc zielone zarośla cętkowane drzewami, które chciwie chwytały podmuchy wiatru przebijającego się przez ciężkie, upalne powietrze.

Na szosę wtoczył się stary, pękaty autobus. Chwilę warczał motorem, a potem usiadł na piaszczystym poboczu. Otworzyły się dwie pary drzwi i pasażerowie wolno zeszli po schodkach na trawę.

– Dziesięć minut! – krzyknął kierowca.

Ludzie pokiwali głowami, wyjęli papierosy albo półpełne butelki i z ulgą wyciągnęli się na ziemi. Żaden z nich nie zauważył małego człowieczka w czarnym, bardzo zakurzonym ubraniu. Zbliżał się do autobusu z niewielką torbą w ręce. Podszedł do najbliższego pasażera i usiadł. Po chwili przysunął się bliżej i szeptem powiedział:

– Czy ma pan trochę chleba?

Zmęczony podróżny mruknął coś w odpowiedzi, nie podnosząc oczu.

– Czy ma pan chleb? – powtórzył człowieczek.

– Co takiego? – pasażer z niechęcią podniósł się na łokciu.

– Chleb – powtórzył człowieczek. – A może ma pan bilet?

– Mam i jedno, i drugie.

– Och.

Zapadło krótkie milczenie, a potem człowieczek powiedział:

– Jestem głodny.

– To dobre? – pasażer podał mu garść wiśni.

– Nie, nie. Chleb!

– Co „chleb"?

– Jestem głodny na chleb.

– A ja na spokój.

Twarz człowieczka zmarszczyła się. Smutnymi oczami spojrzał na mężczyznę.

– Proszę pana – delikatnie pociągnął go za nogawkę spodni. – Ja przepraszam, ja...

Urwał i zawarczał.

– Koniec przerwy! – zawołał kierowca.

Pasażerowie podnosili się ociężale i znikali we wnętrzu autobusu.

— Zabierzcie mnie ze sobą! – powiedział nagle człowieczek z torbą.

— Nie ma wolnych miejsc! – odpowiedziało mu kilka głosów.

Ludzie patrzyli na niego zza szyb z obojętnością tych, którzy wiedzą, że są bezpieczni i że na jednym z przystanków trzeba będzie wysiąść, a więc już zbierają siły do walki o utrzymanie następnego miejsca, w którym się znajdą, a którego nie można kupić biletem.

Motor zachrzęścił i autobus powoli ruszył.

Człowieczek w czarnym ubraniu postawił torbę na ziemi, szczeknął żałośnie i podreptał w ślad za autobusem, oddalającym się coraz bardziej.

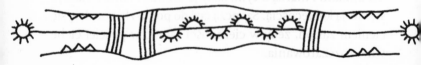

Samotni  karmiciele kotów

Potajemnie, nocą, kiedy przekazują sobie miękkie futra swoich podopiecznych, wymieniają też samotne uściski dłoni. Mijając się w drzwiach czasem przylgną do siebie na chwilę biodrami. Stare panny częstują karmicieli kotów cukierkami w kolorowych papierkach. Rozstają się z uśmiechami. Nadchodzi noc.

Puste domy drżą pod krokami swoich mieszkanek. Idą spać zmówiwszy modlitwę za dusze biednych kotów, które trzeba dokarmiać. W myśli dopowiadają kilka słów przeznaczonych dla tego, o którego kolana otarły się wieczorem. Kładą się do łóżek osłoniętych wstydliwymi baldachimami i marzą o tym, żeby je zerwać i jawnie cieszyć się swoją kobiecością. Szepczą coś do poduszki i otulają się cieniem zasłon, żeby w ciemności sączyć w pościel ciche wino rozczarowania.

Mężczyźni kroczą w głąb ciemniejących ulic trzymając w ramionach futra posłusznych kotów. Zamyśleni, potykają się o wystającą płytę chodnika albo krawężnik, klną głośno i zaczynają opowiadać przedziwne historie o kociej miłości na śmietnikach albo szalonych kocich eskapadach. Potem z mocno zaciśniętymi ustami wstępują do swoich małych mieszkań, otwierają puszki z kocim jedzeniem i drewnianymi patyczkami podają kawałki mięsa swoim podopiecznym. Karmiciele kotów kładą się na wąskich łóżkach i zasypiają skupieni na swoim zmęczeniu, zaciśnięci jak pięść.

Rano, kiedy samochody zwalniają, bo na ulicach pojawiają się dzieci, koty drapią do drzwi okazałych willi. Dostają słodkie śniadanie, pozwalają się głaskać i przenosić z fotela na kanapę i z powrotem.

Ale przecież dzień nie jest najważniejszy. Jest tylko kolejnym przetrwaniem, wyścigiem ze słońcem, odwracaniem stronic znanych książek, pospiesznym poprawianiem włosów i spacerami do pobliskiego parku.

Karmiciele wstają wcześniej. Wkładają przybrudzone koszule, kamizelki, długie płaszcze i wychodzą do pracy. Codziennie w wyobraźni gładzą podwiędłe ciała swoich wybranek, ale nawet w chwili największego zapału nie przychodzi im na myśl, że to kiedykolwiek mogłoby się stać naprawdę. Wracają do siebie okrężnymi drogami, wstępują na piwo, jedzą po drodze niewielki obiad.

Wieczorem przygładzają włosy, czeszą brody i z nonszalancją pukają do drzwi starych panien. Koty przechodzą z dłoni w srebrnych pierścionkach do twardych rąk swoich opiekunów. I znów ukradkiem można dotknąć obcego palca o zbyt długim paznokciu lub rozpaczliwie miękkiej skóry.

Czas, żeby unieść makijaż, niby przypadkiem spojrzeć mu w oczy, zrobić cokolwiek, żeby przedłużyć moment wspólnego stania w drzwiach dużego domu.

Pewnego dnia, kiedy nikt nie odpowiada na stukanie do drzwi, karmiciel wzrusza ramionami i odchodzi, kryjąc złość. Kopie kamyki, rozrzuca po trawie przekleństwa.

I nie przyzna się nikomu, że to nie gniew na klientkę, ale żal i ból serca, bo wie, że ona leży gdzieś na podłodze z szeroko otwartymi oczami, nie przygotowana na przyjęcie karmiciela. Za kilka dni ktoś zawiadomi policję, że mieszkała samotnie i nie otwiera drzwi, więc może coś się stało.

Tak, stało się. Widać było tylko bose stopy o brudnych piętach wystające spod białego prześcieradła.

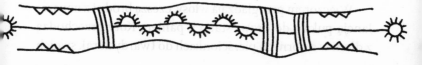

Wszystkie
ogrody świata

Nocą, kiedy zamykały się bramy, furtki i drzwi, Księżyc przesuwał się poza róg dachu i patrzył.

W klombie po prawej stronie rosły kwiaty o chrupkich płatkach, otoczone krótko ciętą trawą, która w ciemności przypominała miękki chodnik rozciągnięty między ścieżkami.

Nieopodal stała gromada tulipanów, które wieczorem stulały płatki, zaszeptane w samych sobie. W dzień gniewne, że nie mogą się rozsiadać na gałęziach drzew i nazywać papugami, o zmierzchu milkły wsłuchane w swoje tęsknoty.

Przedtem z burzliwą namiętnością przeżywały swoje niespełnienie, bo nie mogły być niczym więcej niż kwiatami w ogrodzie. Przynajmniej tak długo, dopóki wszyscy myśleli, że tym są w rzeczywistości i nie będą – bo nie mogłyby być – niczym innym. O zmierzchu milkły.

To im Księżyc wysyłał pierwsze światło słońca, które zawsze nosił w sobie.

Róże nie należały do nikogo. Przychodziły do ogrodu, wybierały miejsce i przysiadały lekko, żeby się za szybko nie zmęczyć i nie zmieniać pozycji. Były najdumniejsze ze wszystkich, ale nie próżne czy zarozumiałe.

Bycie różą to zaszczyt. Bycie różą to stan królewski, więc z przyrodzoną godnością nosiły swoje korony. Powściągliwe za dnia, wieczorem stawały się jeszcze czerwieńsze, skrycie oddając się łagodnej rozpaczy królewskiego osamotnienia.

Nie miały w sobie dość siły, żeby marzyć, nie umiały nawet nazwać swoich pragnień i nigdy nie próbowały, więc co noc przeżywały niespodziewaną gorycz cierpienia, bo pustki, jaką w sobie czuły, nikt nie potrafił zapełnić.

Im Księżyc słał drugie światło, słodką obietnicę, niemożliwą do spełnienia.

Lubił patrzeć na klomby małych kwiatów, spokojnie uśpionych, stulonych jak kocięta,. Rano budziły się pierwsze. Niektóre pośpiesznie strząsały krople rosy i prężyły w stronę wschodzącego słońca. Pełne radości, wigoru i zdrowia. Zadowolone w deszczu i upale, niecierpliwe, beztroskie, towarzyskie.

Inne wygładzały płatki, nieśmiałe, z pewnym zawstydzeniem wystawiając głowy do słońca. Czasem trzymały się na uboczu, czekając na zaproszenie do grupy. Delikatne, o jasnych barwach, szczęśliwe, kiedy ktoś zwrócił na nie uwagę.

Księżyc wędrował pomału, sam nieco zamyślony. Doskonale odległy, niedostępny, niezmęczony, miękkim światłem rozpraszał ciemność. Pomyślał, że gdyby nie jego własna moc, sam poczułby się przestraszony głębokością nocy.

Przystanął nad linią lasu.

Z drzewami zawsze łączyło go coś szczególnego. Były niepodobne do wszystkich innych istot i rzeczy. Cierpliwe, silne, odporne i potężne. Skąd brały tyle mocy, żeby rosnąć najwyżej ze wszystkich?

W drzewach była zaklęta tajemnica. Nie miały marzeń ani ambicji, nie tęskniły, nie znały rozczarowań, goryczy, radości, strachu ani dumy. Ich żywiczne łzy były pozbawione smutku. Mogłoby się wydawać, że są całkowicie wyzbyte emocji i jedynym sensem ich istnienia jest trwanie w miejscu i uparte, nieustanne zdobywanie kolejnych centymetrów.

Ale to nieprawda, pomyślał Księżyc, one mają swój własny pozaziemski język, własną skalę emocji i to, co jest w nich pozornie nieruchome, nieme i głuche, tętni życiem. Mają w sobie całe bogactwo uczuć i namiętności, mają nieobliczalną siłę i równie nieprzewidywalne zdolności. Ponadprzeciętną wrażliwość i zmysły, które przenikają wszystko dookoła, same pozostając nietknięte. Są jak palce wielorękiego dżina, który spoczywa w czeluściach ziemi czekając na moment, kiedy będzie mógł się pojawić i zapanować.

Księżyc nie czuł strachu. Zapuszczał się zawsze bez lęku w największy gąszcz, dotykał pni, gałęzi i liści, próbując dotykiem odgadnąć co się w nich kryje. A one milczały, tak jakby nigdy nie nastawał dzień, nie zamieniał się w noc, nie oblewał ich na przemian rzęsistą ulewą i piekącym skwarem, jakby nie czuły wiatru, który pieszczotliwie lub gwałtownie domagał się dopuszczenia do tajemnicy, ani Księżyca, który po wizytach we wszystkich ogrodach świata szukał w nich odpowiedzi na pytanie, którego nie znał, bo je także skrywały w sobie.

Wilk i Myszka idą na polowanie

Wejście od strony północnej było otwarte. Już z ulicy było widać ciemne szpalery drzew stykających się koronami. Od głównej alei odchodziły mniejsze, swobodnie zakręcały to w tę, to w drugą stronę i omijały drzewa, którym przyszło wyrosnąć na ich drodze.

Strusie przechadzały się potrząsając kosmatymi ogonami, pióra furkotały na wietrze, blade zimowe słońce powoli chowało się za czubki drzew. Kilka białych psów uczepionych gałęzi posyłało mu tęskne spojrzenia. Strusie pochylały się przechodząc pod psami zwisającymi głowami w dół, a one...

Dziewczyna usiadła na skraju ławki. Wyjęła papierosy i poklepała się po kieszeniach w poszukiwaniu zapałek.

– Czy ma pan ogień? – zagadnęła łagodnym tonem.

– Proszę – mężczyzna zapalił jej papierosa. – Jak ładnie wygląda ten park, prawda?

– Nie lubi pan śniegu?

– A pani?

– Lubię gdy jest, ale kiedy go nie ma, wcale nie musi być.

Odetchnęła głęboko.

– Taki wiosenny styczeń.

– Ja jestem wielbicielem ładnej pogody – wyznał mężczyzna, przysuwając się do niej. – Suchej, słonecznej, ciepłej. Pamiętam, że już jako dziecko nie przepadałem za śniegiem.

– Udało się panu w tym roku – roześmiała się. – Taka zima, jakby jej wcale nie było.

– Udało mi się – potwierdził z lekkim skrzywieniem ust. – To kwestia punktu widzenia.

– Właśnie – podjęła od razu dziewczyna. – Tam na gałęziach widzę ptaki.

Myszka podeszła do Wilka i zażądała grubym głosem:

– Porozmawiaj ze mną!

– Tutaj? – Wilk rozejrzał się ostrożnie. – Na tej polance?

– Rozmawiaj!

– Wszystko powinno być na swoim miejscu, a najlepiej jeśli także w swoim czasie – powiedział Wilk. – Wszystko powinno mieć swój początek i koniec, każdy powinien dostać to, co mu się należy...

Wilk urwał.

– Gdzie jesteś? – zapytał po chwili.

– Cały czas jestem – odrzekła Myszka.

– Jestem głodny – przypomniał sobie nagle Wilk. – Przełknąłbym coś małego z grubym głosem i gołym ogonem.

– Nie wiem kogo masz na myśli! – zawołała Myszka.

– Mam kosmate myśli o gołym ogonie. Gdzie jesteś?

– Ja też mam ochotę na coś małego – odparła Myszka po chwili.

– To może pójdziemy go poszukać? – zaproponował Wilk skwapliwie. – Podzielimy się po połowie.

– Wątpię.

– Możemy podzielić się inaczej. Jak będziesz chciała.

– Wolałabym dwa małe cosie, żeby nie trzeba było dzielić – oświadczyła Myszka po namyśle. – Dwa przeciwnej płci. Ja biorę samczyka.

– A ja samiczkę – zgodził się Wilk ochoczo. – Zawsze wolałem samiczki.

– Zamknij oczy – rozkazała Myszka jeszcze bardziej basowym głosem. – Wsiądę ci na plecy. Teraz ruszaj. Wiem gdzie trzeba szukać.

– Boże!... – dziewczyna złapała mężczyznę za rękaw. – Widział pan?

– Nic nie widziałem – odparł spokojnie. – Zamyśliłem się.

– Raczej się pan zdrzemnął – sprostowała. – Chyba że zawsze chrapie pan przez myśli.

– Chrapałem? Przepraszam.

– Pochrapywał pan. Właściwie wydawał pan taki dźwięk, jakby pan biegł. Śniło się panu coś?

Nie pamiętam.

– To dobrze. Nie znoszę, kiedy ktoś przerywa mi sen, więc cieszę się, że w niczym panu nie przeszkodziłam.

– A co panią przestraszyło?

– Ach – roześmiała się – to ten zmrok. Powinni już zapalić latarnie. Wydawało mi się, że za drzewami widzę olbrzymiego psa.

– Boi się pani psów?

– Nie, ale ten był jakiś... dziwnie garbaty.

Psy wytrzeszczyły ślepia ze strachem. Wspięły się na wyższe gałęzie i z uwagą obserwowały jedną ze ścieżek w parku. Wilk kołysząc się z boku na bok biegł nieśpiesznie przed siebie. Mysz na jego karku rozglądała się ciekawymi oczkami.

– Stań tutaj – rozkazała.

Strusie zbiły się w ciasną gromadę. Zmrok rozmazał żywe kolory ich piór w jednolitą szarą masę. Wyglądały jak przerośnięte, wyblakłe koguty. Przez kilkanaście sekund dyskutowały z ożywieniem, a potem jeden z nich zaczął nerwowo rozgrzebywać ziemię pazurami. Na ten znak wszystkie strusie wetknęły głowy w rozmiękłą wieczornym chłodem ziemię, a rozzłoszczone krety drapały je po pyskach.

– To paradne! – roześmiała się dziewczyna. – Jak pan to robi? Mówiąc, że pan nie śpi, jednocześnie zapada pan w sen! Zaziębi się pan.

– Zamyśliłem się.

– Wolałabym, żeby pan ze mną rozmawiał. Czeka pan na kogoś?

– Nie.

– Jakie czyste powietrze, prawda? – odetchnęła głęboko.

– A jednak czuje się zapach zimy.

– Nie napiłaby się pani kawy?

– Zmarzł pan?

– Powiedzmy, że trochę zmarzłem, ale to nie jest istotne. Lepiej, żeby...

– Tam! – zawołała dziewczyna. – Ten pies!

– Nic nie widzę. Zdawało się pani. Jest pani zmęczona?

– Dlaczego?

– Czasami zmęczone oczy płatają figle.

– Być może, ale... Mam dziwne wrażenie, że ten pies jest bliżej niż mi się wydaje.

– Zaglądała pani pod ławkę?

– Och! – roześmiała się. – Nie o to chodzi. Nawet gdyby pod ławką był jakiś pies, to z pewnością nie ten. Nie umiem tego wytłumaczyć. Nie widział go pan?

Garbatego psa? Nie.

– A tak nawiasem mówiąc – powiedziała po chwili z namysłem – czy naprawdę te strusie...

Widziała pani strusie?

– Zaraz – zmarszczyła brwi. – Wydawało mi się, że pan coś mówił, kiedy przechodziłam obok tej ławki.

– Pani mówiła. Poprosiła mnie pani o ogień.

– Tak, ale przedtem pan coś... o gałęziach.

– Same ogony – Myszka skrzywiła się z niesmakiem. – Mówiłeś o gołych ogonach, prawda?

– Koniecznie – przytaknął Wilk. – Żeby włosy nie łaskotały mnie w przełyk.

– No właśnie. Po piórach można się nawet nabawić niestrawności. Chyba że obgryziemy tylko udka.

Udka są najlepsze.

To podejdź jeszcze kilka kroków, ale na paluszkach...

Słyszy mnie pan? – dziewczyna zajrzała mu w twarz. – Źle się pan czuje?

– Doskonale – odparł niespodziewanie trzeźwym głosem. – Czy znów zasnąłem?

– Zdaje się. Chyba powinien pan się napić tej kawy.

– Tak, i to szybko – chwycił ją za rękę. – Bo może się okazać, że...

...Psy podniosły dziki jazgot, który przez odrobiny ziemi dotarł do uszu strusi. Ich zadki poruszyły się nerwowo.

– Cicho – upomniała Myszka szeptem. – Żebyś ich nie spłoszył.

Mężczyzna potrząsnął głową i podniósł się z ławki.

– Kiedy dojdzie pani do końca parku – powiedział – proszę skręcić w lewo, a potem prosto i szybko do domu. Rozumie pani?

– Tak, ale...

– Niech pani już idzie.

Dziewczyna posłusznie odwróciła się, ale nagle stanęła:

– Wie pan – powiedziała z zastanowieniem. – Wydaje mi się, że już się kiedyś spotkaliśmy. Albo przypomina mi pan kogoś, kogo znam.

Słysząc narastające dudnienie jeden ze strusi nie wytrzymał napięcia, do czego pewnie przyczynił się też szczypiący go w ucho chrząszcz majowy, brutalnie wyrwany ze snu. Struś wytknął głowę z ziemi dokładnie w momencie, kiedy Myszka przygalopowała na wilku w jego bezpośrednią bliskość.

Ha! – krzyknęła bojowniczo Myszka. – Nie ruszać się! Uda do góry!

– C-co się uda? – wyjąkał Struś ze zgrozą wpatrując się w wilczą paszczę z łakomymi strumykami śliny.

– Ha! – zawołała znów Myszka, ale z mniejszą pewnością siebie, a Wilk oblizał się z gulgocącym hałasem.

Psy zamarły przylepione do gałęzi oczekując strasznej rzezi. Wyglądały jak białe czapy śniegu nieregularnie porozrzucane na drzewach. Śniegu, którego tamtej zimy w ogóle nie było.

Struś stał przez chwile ze ściśniętym gardłem, potem z trudem i głośno przełknął ślinę. Tak głośno, że pozostałe strusie uznały to za hasło do odwołania alarmu i w następnym momencie wszystkie znieruchomiały pod obezwładniającym wzrokiem Myszki.

– Wiesz co – powiedział z zastanowieniem Wilk. – Wydaje mi się, że już ich kiedyś spotkałem i mam chyba nawet zdjęcie z nimi w rodzinnym albumie.

– O! – Myszka odetchnęła usiłując ukryć ulgę, jaką przyniosło jej to wyznanie. Nachyliła się do ucha Wilka i szepnęła: – Wiesz, cholera, one mają takie oczy jak ty. Raz się zapatrzysz i po tobie. Uff... No i te udka, takie trochę... szpiczaste.

Żylaste – poprawił Wilk, też szeptem.

– Takie... Hm, hm, hm! – Myszka chrząknęła i dzielnie odpierając spojrzenia strusi dodała głośno: – Takie piękniaste macie ogony!

Fragment książki pt. „Zimny indyk".

Ostatni potomek Boga

Po śniadaniu opuściliśmy zamek. Po pustyni spacerowali ludzie z torebkami pełnymi lizaków. Od czasu do czasu rzucali jeden z nich na ziemię. Spojrzałem zdumiony na Hipolita.

– Co tu się dzieje? Czy to szaleńcy?

– Ach, nie – roześmiał się – to taki nasz zwyczaj. Karmimy węże żyjące w piasku.

– Węże? Lizakami?

– Tak. One jedzą tylko nasze czerwone lizaki. Niedaleko jest wielka fabryka słodyczy.

Ludzie mieli spokojne twarze, dzieci bawiły się z wężami. Przyszło mi nagle przez myśl, że może umarłem i trafiłem do krainy duchów. Hipolit zniknął przecież wiele lat temu z miasteczka, w którym mieszkaliśmy. Spojrzałem na niego. Cmokał na rudego węża i podsuwał mu lizaka.

– Hipolicie – zapytałem. – Jak rozpoznać życie od śmierci? Odwrócił się zdziwiony.

– To... To chyba nie jest takie trudne. Życiem jest tworzenie, funkcjonowanie, wola życia jest znacznie silniejsza od pragnienia śmierci, bo nawet jeśli kiedyś osłabnie, zawsze jest czas, żeby ją odnowić, a śmierci można doznać tylko raz. I nikomu nie można już o tym powiedzieć.

– Tak, ale fizycznie, Hipolicie. Po czym poznajesz, że żyjesz?

– Staram się uchwycić znaczący moment życia. Kiedy się śmieję, wiem, że jestem zdolny do radości, jestem żywy, czuję moje ciało. Dlaczego właściwie o to pytasz?

– Powiedz mi jeszcze coś o swoim życiu – odparłem po chwili milczenia.

– Posiadam Nadzieję i modlę się do Boga, żeby ją potwierdził. Kiedy rano za oknem szaleje wiatr, moje serce jest podobne psalmowi, tak samo spokojne i silne.

„Chyba jestem wciąż żywy" – pomyślałem wtedy.

– Czy znasz, Baltazarze, opowieść o ostatnim potomku Boga? On mieszkał właśnie tutaj.

Usiedliśmy na piasku, a węże ścierały językami słodkość z lizaka, który trzymałem w dłoni.

– On mieszkał właśnie tutaj – powtórzył Hipolit. – Miał ogromny pałac i tak jak ty teraz, karmił węże. Miał też przyjaciela. Byli zupełnie różni. Spotykali się każdego wieczoru na pustyni. Potem organista grał ostatnią pieśń nocy, wszyscy rozchodzili się do domów i kładli spać. Nasze państwo było zupełnie inne niż teraz. Wszystko co niezwykłe, zostało poznane i opisane. Ludzie zapomnieli, że istnieje zdziwienie, nie stawało się nic nieoczekiwanego. I wiesz, ostatni potomek Boga zwykł rozdawać to co miał, bo nic go już nie cieszyło. A ten drugi człowiek, jego przyjaciel, gromadził w swoim domu każdą rzecz, którą dawali mu ludzie.

I któregoś dnia otrzymał od swojego przyjaciela ostatnią rzecz, jaką ten mógł mu dać – smutek. Tego samego wieczoru ostatni z Bożej rodziny zrozumiał czym jest wolność uczucia, oczekiwanie na spełnienie nieprzewidziane przez tych, którzy niespodzianki zamknęli w stalowych sejfach.

W nocy poszedł do domu organisty i zbudził ludzi. Zadziwił ich, bo to nie była zwykła melodia, ale cała siła jego serca, nadzieja i jej realizacja. I miłość, która pojawiła się na naszej wyspie niespodziewanie, ale od razu jako królowa.

(Fragment książki pt. „Powrót", którą napisałam po rzuceniu studiów. Była czytana w odcinkach w radiu w 1985 roku.)

W poszukiwaniu Czasu

Baltazar został wcielony do wojska i wysłany na wojnę. Podczas bitwy zginął żołnierz, którego Baltazar próbował ratować.

Wolno ogarniałem wzrokiem pole bitwy, coraz mocniej zaciskając pięści i gotów biec z krzykiem naprzeciw śmierci, gdy nagle zobaczyłem coś tak dziwnego, że ramiona zwisły mi bezsilnie, a oczy miałem pełne zdumienia.

Środkiem pola, pomiędzy dwoma wrogimi obozami, podążał szereg ludzi. Biegli lekkim truchtem, w milczeniu, w groteskowo długich sukniach. Żołnierze w okopach odłożyli broń, ucichły strzały, a potem niektórzy dołączyli do szeregu. Zapytałem jednego z nich dokąd idzie i kim są ci niezwykli ludzie. Nie odpowiedział. Pomyślałem, że lepiej uciec z okopu, wojny i wojska, podniosłem się czym prędzej i pośpieszyłem do szeregu. Przyjęto mnie jak innych

– po prostu wsiąkłem między dwóch biegnących. Po chwili usłyszałem szept:

Iluzja, żyję w iluzji, oddycham iluzją...

W tym samym momencie opuściliśmy pole i rozterkotały się karabiny, jak gdyby obie armie właśnie się obudziły i postanowiły kontynuować walkę. Po kilkunastu minutach szereg nagle stanął. Ludzie natychmiast usiedli i zaczęli rozmawiać. Wyglądało to tak, jakby wcale nie przerywali rozmowy, jakby byli nią zajęci przez ostatnią godzinę. Podjęli tematy w środku myśli, rozpoczynając urwanymi zdaniami. Starałem się im przerwać, mówiąc najpierw „Przepraszam", potem głośniej coś wtrącając, w końcu pociągając ich za rękawy, ale zupełnie nie zwracali na mnie uwagi. Podszedłem do następnej grupy, w której natchniony młodzieniec opowiadał:

– ...potem przestwór... Delikatny jak ręce kołyszące do snu. Było jasno, wokół mnie smugi bieli i błękitu, słyszałem ciche stukanie serca... Dzwoniąc i brzęcząc przepływał obok kolor jej oczu...

Nikt nawet na mnie nie spojrzał, nikt nie chciał odpowiedzieć na pytania. Postanowiłem odejść, gdy nagle jeden z ludzi poderwał się i zawołał:

– Tam! Tam w lesie!

Przez zebranych przebiegł szmer.

– Jest! Ucieka!

Zerwali się na równe nogi, ustawili w szereg i pobiegli przed siebie, a ja usłyszałem jeszcze podniecone szepty:

– Znowu jest!... Ktoś zobaczył uciekający Czas w lesie... Naprzód!... Naprzód!...

Chciałem się do nich przyłączyć i chwytać Czas, ale byłem już zmęczony nieustanną podróżą, zdarzeniami i spotkaniami. Ja przecież chciałem poznać najzwyczajniejszych ludzi, a tymczasem znacznie częściej stykałem się z tajemnicą. Cóż mogłem więc zrobić? Szereg zniknął za drzewami, podniosłem się z westchnieniem i pomaszerowałem naprzód.

(Fragment książki pt. „Powrót")

Kłopoty z Mniemaniami

W mieście pojawiają się tajemnicze istoty, które zostają nazwane Mniemaniami. Bohaterka książki – Jasmine – jest jedyną osobą, która spotkała Mniemania o imieniu Xiorp i często z nim rozmawia, ponieważ Xiorp postanowił zamieszkać w domu jej kuzynki, gdzie także Jasmine przez przypadek trafiła.

Obudził mnie niegłośny, ale nieustający szum. Podeszłam do okna. Strumyki deszczu spływały po szybie i z brzękiem rozpryskiwały się na parapecie. W ogrodzie na sznurku kołysały się dwie sukienki, które nie tylko nie wyschły, ale były jeszcze bardziej mokre niż poprzedniego wieczoru.

Wstawanie w deszczowe poranki nie należy do przyjemności. Nawet ja, choć jestem raczej spokojną osobą, byłam rozdrażniona. Znając gwałtowność Pamsey i Gilberta, musieli być od rana wściekli jak osy.

Zeszłam na śniadanie. Gilbert siedział jak zwykle pogrążony w lekturze porannej prasy, a Oceania pochłaniała niezliczoną ilość grzanek na przemian z miodem i wiśniową konfiturą.

– Wiecie co? – powiedziała w pewnej chwili babcia i nie zważając na złowrogie łypnięcie Gilberta, ciągnęła: – Co byście powiedzieli na to, żebyśmy w przyszłe wakacje pojechali do Anglii?

– Londyn – rzuciła Oceania z ustami pełnymi grzanki.

– Raczej Szkocja – sprostowała babcia. – Miałam dzisiaj proroczy...

– Mamo!

– Proroczy sen – dokończyła babcia z uporem. – Zaraz go wam opowiem.

– Mamo, ja mamę ostrzegam!...

– Nic z tego, synku. O p o w i e m ten sen.

– W takim razie skończycie śniadanie beze mnie – Gilbert wstał, wymownie spojrzał na żonę i zabierając gazetę wyszedł gniewnie stukając pantoflami.

Pamsey jednak w najmniejszym stopniu nie przejęła się tym groźnym spojrzeniem. Przysunęła się do stołu i z ciekawością zapytała:

– Co się mamie śniło?

– Spotkało mnie wielkie szczęście!

– W Anglii? – domyśliła się pam.

– Tak. Spacerowałam po dzikich wrzosowiskach...

– Skąd mama wie, że one były dzikie? – przerwała kuzynka.

– A widziałaś kiedyś oswojone wrzosowiska, moje dziecko?

– A skąd mama wie czy ono nie było oswojone?

– Bo widziałam tam olbrzymie ilości nie zadomowionego ptactwa i drobnej zwierzyny.

– Chyba z wieży – poprawiła ją Pam.

– Co to jest zwierza, babciu?

– Pamsey, co to jest zwierza?

Kuzynka wzruszyła ramionami.

– To mama przecież oglądała ptactwo z wieży.

– Z wieżyny, moje dziecko.

Nagle babcia zdziwiła się: – Ja tak powiedziałam?

– Tak, tak mama powiedziała. Słyszałaś, Jasmine?

Kiwnęłam głową, nie do końca pewna co w końcu zostało powiedziane.

– Tak więc obserwowałam drobną wieżynę i dzikie ptactwo – ciągnęła babcia. – W snach wszystko jest możliwe, zawsze to powtarzam, dlatego najprawdopodobniej widziałam coś, chociaż nie wiem co to jest. Spacerowałam po tym wrzosowisku, a wiatr tak wiał i dmuchał... Aż wreszcie stanęłam.

Babcia zamilkła. Pamsey i Oceania zastygły na krzesłach oczekując dalszego ciągu, który jednak nie następował. W końcu zniecierpliwiona Pam zapytała:

– Długo jeszcze mama będzie stała?

Babcia ocknęła się z zadumy i spojrzała pod siebie.

– Siedzę, moje dziecko. Mam zmęczone nogi.

– To niech mama wstanie i idzie dalej!

Babcia niepewnie zrobiła kilka kroków w stronę okna.

– Daleko mam iść?

– Aż się coś wydarzy.

– To już koniec – powiedziała po dotarciu do ściany.

– Już? – zdumiała się Pamsey.

– Ściana – odparła krótko babcia.

– Acha! – domyśliła się kuzynka. – Ktoś pewnie zbudował dom.

– Twój mąż, moje dziecko – odrzekła babcia wpatrując się w synową ze zgrozą.

– Gilbert na wrzosowisku?! – Pamsey zerwała się z krzesła. – Co on tam robił?

– Nie denerwuj się, moje dziecko – babcia podeszła do Pam i położyła jej dłoń na czole. – Jak się czujesz?

– Babciu, opowiadaj dalej!...

– Widzisz, Żabusieczku, że mamusia nie czuje się najlepiej. Jesteśmy w domu, Pamsey – zwróciła się do kuzynki łagodnie. – Gilbert jest w kuchni...

– A więc nie łaził po tym wrzosowisku? – odetchnęła kuzynka. – Czy mama przypadkiem nie kłamie?

– Tatuś wybudował dom w Szkocji! – zawołała triumfalnie Oceania. – Będziemy mieszkać na nie oswojonym wrzosowisku! Nie będę musiała chodzić do szkoły!

– Nic z tego, Żabusieczku – odrzekła kategorycznie Pamsey. – Za dwa tygodnie idziesz do szkoły, tatuś sprzeda ten dom na wrzosowisku, a mama może opowie wreszcie ten sen do końca!

– Oczywiście, moje dziecko, to bardzo rozsądne rozwiązanie. Zostaniemy wszyscy tutaj, gdzie nasze miejsce. Jesteśmy przywiązani do tej ziemi od pokoleń. Na przykład twój dziadek, który jak wiesz był fanatycznym filatelistą, w okresie wielkiego kryzysu cierpiał wraz z całą rodziną głód, a jednak nie opuścił ziemi swoich przodków.

Bo już nie miał siły – wtrąciła Pam z sarkazmem.

– O nie, moje dziecko! – oburzyła się babcia. – Przez pół roku żywili się filatelistycznymi zbiorami twojego wielkiego dziada.

– Był małego wzrostu, widziałam na zdjęciu.

Ale był wielki duchem!

– Niech mama mnie nie straszy! – zaprotestowała gwałtownie Pamsey. – Niech mama nie zapomina, że przy stole siedzi także dziecko! Twój pradziadek – zwróciła się do Oceanii – nie był ani wielkim, ani nawet malutkim duchem, kochanie. Był człowiekiem niewielkiego wzrostu, zapamiętaj to sobie.

– Ale zawsze potrafił sobie poradzić! – zagrzmiała babcia unosząc nóż, z którego na obrus kapnęło trochę miodu.

– Tak, i karmił swoją rodzinę papierem! – odrzekła z ironią kuzynka.

– Mylisz się, moje dziecko. Znaczki sprzed pierwszej wojny światowej były od tyłu pokryte bardzo pożywnym klejem. Poza tym dzięki tej niezwykłej diecie cała nasza rodzina ma do dzisiaj piękne uzębienie – ponieważ organizm twojego dziadka, a także jego żony i dzieci tak się przystosował do tej, hm, żywności, że po pewnym czasie bez żadnego ryzyka twój dziad wymienił wszystkie nadpsute lub zaplombowane zęby na ząbki ze znaczków, oczywiście tych o najwyższej wartości.

– O ile pamiętam, kuzyn Gilberta, zanim stracił w wieku piętnastu lat wszystkie zęby, miał je żółte i krzywe.

– To prawda – przyznała babcia ze smutkiem – dlatego, że jego matka, czyli siostra twojego dziadka, dostawała do jedzenia same kancery. Interes najbliższej rodziny przede wszystkim!

– Teraz klej też nie jest najgorszy – wtrąciła Oceania tonem znawcy.

Tak? – zainteresowała się Pamsey. – Nie zwróciłam uwagi.

– Tak. Nie pamiętasz, mamusiu, jak tatuś obiecał przykleić znaczek, polizał go i przez dwa tygodnie chodził ze znaczkiem w ustach?

– Pamiętam. Ale zapomniałam go wtedy zapytać czy klej był smaczny.

– W każdym razie był mocny – stwierdziła babcia. – Jednak kolekcjonowanie znaczków może mieć niebagatelne znacznie... Jasmine, czy ty zbierasz znaczki?

– Zbierałam kiedyś jako dziecko. Mam w domu kilka klaserów – odrzekłam szybko.

Wypowiadając słowo „dom" doznałam dziwnego wrażenia, tak jakbym zahaczyła o coś, co pomogłoby mi rozwikłać zagadkę mojego przybycia do Pamsey, jakbym była blisko przypomnienia sobie co się właściwie stało. Nie zdążyłam się jednak nad tym zastanowić, bo babcia z zadowoleniem oświadczyła:

– To mi się podoba! Godna podziwu zapobiegliwość! A ty, Pamsey, czy masz jakieś zapasy na czarną godzinę?

– Miałam – odparła ponuro kuzynka. – Ale ten wasz Mniemań wszystko wykradł i pożarł.

– Pamsey! Nie mów o nim w ten sposób! To jest przemiłe stworzenie i tak jak ty czy ja ma prawo jeść. Może gdybyś miała chociaż ze dwa klasery znaczków, Mniemań ominąłby twoją lodówkę! Zresztą mówiłam wam, że widziałam go dzisiaj we śnie i nawet nie otworzył żadnej lodówki.

– Śnił ci się nasz Mniemań, babciu?!

– A może te lodówki były puste? – zapytała Pam.

– Jakie lodówki, moje dziecko?

– Te na wrzosowisku.

– Tam nie było żadnych lodówek.

– Mówiła mama przecież, że żadnej nie otworzył.

– A jak miał otworzyć, jeżeli ich tam nie było? – wytłumaczyła cierpliwie babcia. – Słuchaj uważnie, moje dziecko.

– I co było dalej, babciu?

Babcia zlizała miód z trzymanego w ręku noża i z błogim uśmiechem ciągnęła:

– Popatrzył na mnie tak... słodko, uśmiechnął się i mówi: „Hej".

– Tak powiedział? – Pamsey skrzywiła się z niesmakiem.

– To niegrzeczne, daje mama zły przykład swojej wnuczce.

– To był sen, moje dziecko – zaoponowała babcia. – Żabusieczek wie, że we śnie wszystko jest grzeczne i niegrzeczne jednocześnie, ale wszystko jest dozwolone.

Wiem – pokiwała głową Oceania. – I co było dalej?

– Ja też się do niego uśmiechnęłam i mówię: „Hej. Może przyjdziesz do nas na kolację?"

– O nie! Ja się nie zgadzam! – krzyknęła kuzynka waląc pięścią w stół. – Nie zniosę domowego inwentarza siedzącego ze mną przy jednym stole!

– Zniesiesz – uspokoiła ją babcia. – Jak będzie trzeba, to zniesiesz.

I jeszcze miałabym dźwigać tego potwora! Nigdy!

– Porozmawiamy o tym później. Zresztą on wie, że go nie lubisz, bo mówi do mnie tak: „A co na to Pam?"

– Śmie mówić do mnie po imieniu! – wrzasnęła Pam w najwyższym oburzeniu.

– Zauważ, moje dziecko, że użył zdrobnienia, a więc nie odwzajemnia twojej bezpodstawnej niechęci.

– A co powiedział o Gilbercie? – zapytała nieufnie Pam.

– Nie rozmawialiśmy o nim w ogóle.

– Ach tak? – zdziwiła się mile kuzynka. – Tylko o mnie?

– Hm, prawie tylko o tobie.

– I co mówił? – rzuciła Pam z pozorną obojętnością, ale widać było, że pochlebiło jej zainteresowanie Xiorpa.

– Pytał o twoje zapatrywanie na temat wspólnej kolacji, na którą go zaprosiłam.

No cóż... – odpowiedziała z ociąganiem kuzynka. – Czy on jest przystojny?

– Bardzo przystojny! – odrzekła gwałtownie Oceania.

– Chyba się z nim ożenię!

– No, no, nie tak szybko, Żabusieczku. Nie zapominaj, że pierwszeństwo należy się twojej matce. Kim on właściwie jest z zawodu, mamo?

Babcia zawahała się i znów Oceania ją ubiegła:

– Ja zapracuję na nas dwoje!

– Żabusieczku, dosyć! Rozmawiam teraz z twoją babcią. A więc, mamo, czy on ma jakąś profanację?

– Nie wiem, moje dziecko, rozmawialiśmy tylko na tematy osobiste. Odpowiedziałam mu wtedy, że ty bardzo lubisz przyjmować gości... – babcia spojrzała na Pamsey badawczo, ale kuzynka nie tylko nie zaprotestowała, a nawet przytaknęła z niewyraźnym, choć bez wątpienia miłym uśmiechem. Babcia nabrała głęboko powietrza i kontynuowała: –...Że jesteś doskonałą gospodynią, że masz najsympatyczniejsze dziecko pod słońcem, że twój pozorny chłód skrywa wrażliwe serce i dobroć, że zawsze z otwartymi ramionami i absolutnie bezinteresownie przyjmowałaś do swojego domu wszelkie bezdomne istoty i... i jeszcze kilka innych rzeczy.

Pamsey stopniowo rozpogadzała się coraz bardziej. Siedziała teraz z rozanieloną twarzą i ryła w stole duże serce czubkiem noża.

– A co on na to? – szepnęła prawie bez tchu.

Ukłonił się lekko i powiedział: „Będę zaszczycony."

– Wyjeżdża w góry? – zmartwiła się Pam. – A może po powrocie?...

– Nie, Pamsey, moje dziecko! – zawołała radośnie babcia. – Nigdzie nie wyjeżdża, da nam znać kiedy będzie mógł przyjść!

– Jak to „przyjść" – obruszyła się Pam. – Przecież podobno on jest tutaj przez cały czas.

– Owszem, jest, ale od czasu do czasu oddala się od tego domu i pojawia się w moim śnie, a ja nie wiem jak daleko śnię.

– Jak to mama nie wie? Przecież to była ta Szkołdra czy Derka, czy jak jej tam.

– Szkocja – podsunęła babcia. – Owszem, Szkocja, ale nie wiadomo jak do niej daleko.

Wystarczy wziąć atlas!

– Moje dziecko! – powiedziała babcia z nutą politowania. – Powinnaś chyba brać udział w naszych codziennych lekcjach. Żabusieczek zaraz ci to wytłumaczy.

Pam opadła na krzesło, a ja nadstawiłam ciekawie uszu. Każdego ranka po śniadaniu babcia z Oceanią zagłębiały się w dwóch zsuniętych blisko fotelach i długo coś roztrząsały, przy czym babcia była strona aktywniejszą, to znaczy wykładała coś dziewczynce, która ograniczała się do potakujących skinień głowy lub pytań zadawanych ściszonym głosem.

– To proste, mamusiu. Nie wiadomo przecież dokładnie jaka jest odległość między tym, co mogłoby się zdarzyć w rzeczywistości a tym, co zdarza się we śnie. Przypuszczam jednak – Oceana zwróciła się do babcia – że t a Szkocja znajduje się kilka kroków od twojego łóżka.

Z czego to wnosisz, moje dziecko?

– Bo kiedy zeszłaś na śniadanie, miałaś we włosach suche gałązki wrzosu, babciu.

O Boże! – Pamsey zbladła. – To prawda!

– To nie był wrzos, ale korzonki miodunki miękkowłosej. Plastikowe lokówki zbyt niszczą włosy.

– Jednak miałaś we włosach wrzos! – upierała się Oceania. – Z małymi fioletowymi kwiatkami.

– Mamo, skąd właściwie miałaś we włosach wrzos?! – zapytała podejrzliwie kuzynka. – Co wyście tam robili?

– Ach, nic! – pośpiesznie odrzekła babcia, ale jej twarz oblał rumieniec. – Rozmawialiśmy sobie, a potem... on się ukłonił i...

– To już mama mówiła – przerwała Pamsey. – Co było dalej?

– Dalej?... – zakłopotała się babcia, a potem z nagłym zdecydowaniem oświadczyła: – Nic. Potem się obudziłam. I już.

(Fragment książki pt. „Prawdziwy przyjaciel Xiorpa")

Pantery i łosie

– Nie stawaj na słońcu – powiedział łoś – bo będziesz jeszcze bardziej piegowata.

– To cętki – syknęła pantera.

– Zdejmij je, bo wyglądasz jak chora huba.

– A u ciebie od razu widać, że mózg ci niepotrzebny, skoro na głowie zapuściłeś sobie nogi.

Łosie chuchały sobie na czoła, a pantery mrucząc obserwowały zarośla spod półprzymkniętych powiek.

– To łosiowa sprawa – szepnął łoś.

– Tam ktoś jest – dodała pantera.

– Wy też macie łosiowe sprawy? – zdziwił się łoś.

– Mamy futro zamiast sierści – odrzekła pantera.

– Mamy małe uszy – dodała druga.

– Giętki ogon.

– Mocne zęby.

– I pazury.

– Mamy eleganckie nosy zamiast końskich chrap i oczywiście nie zapuszczamy sobie rogów.

– My jak zapuszczamy, to tylko siebie w gęstwinę – sprostował łoś.

– I do czego wam te rogi? – zapytała pantera. – Do kopania rowów?

– Są szerokie jak wiosła, mocne jak korzenie i rozłożyste jak dęby. To jest coś, czego wy nie macie i dlatego jest wam solą w oku.

– Odważny jesteś – powiedziała pantera. – Ale mylisz się w sprawie soli. Mam ją w oku jedynie jako odbicie. Resztę mam w nosie. I po co ci na głowie wiosło i drzewo z korzeniami?

– A po co ci taka ciasno zamknięta szczęka i czarne wargi?

– To szminka – obruszyła się pantera.

– Po co ci takie wystające biodra i liana zwisająca z pleców?

– Do potrząsania – odrzekła pantera. – Każdy potrzebuje czegoś, czym mógłby kołysać i czegoś do potrząsania.

– Tam ktoś oddycha – powiedziała druga pantera. – Czuję to. Porusza liśćmi.

– To wiatr.

Ale łosie odwróciły się w stronę lasu. A pantery wyprężyły szyje.

– To pewnie mrówki – powiedział wreszcie łoś opuszczając uszy. – Słyszałem, że emigrują.

– Po co łoś ma łopiany?

– Do kąpieli – odpowiedział łoś bez namysłu. – Lubię bąbelki.

– Powiedziałam „łopiany", a nie „szampany" – prychnęła pantera. – Wyglądasz jak słoń Dumbo.

– Miała na myśli twoje uszy – wtrąciła druga pantera.

– Gdybyś miał lżejszy zad, to byś mógł odlecieć.

– Myślałem, że pytasz o mój płyn do kąpieli.

– Czyś ty z byka spadł?

– Nie dosiadałem.

– Kąpiele w szampanie.

– To po co mówiłaś, że „łoś mało piany"?

– Żebyś mnie przestał wachlować uszami.

– A ty – powiedział łoś – mogłabyś być uprzejmiejsza.

– ...Przez całe życie – dodał łoś po chwili milczenia – nic mi się nie przydarzyło. Raz dostałem małą role w serialu i co tydzień szedłem ulicą obok Roslyn Cafe, nic więcej. Nic więcej nie było w moim życiu chociaż dbam o higienę osobistą i jestem inteligentny. Nic więcej. Patrzę na te krzaki i myślę, że mógłbym być gwiazdorem, ale nie chcieli mnie obsadzić w żadnej głównej roli.

Widziałem siebie w roli doktora, do którego przychodzą chorzy, a ja mam w biurze grubą Indiankę z warkoczami, która wiecznie donikąd się nie śpieszy i myśli powoli jak żółw. A teraz stoję w lesie obok pokurczonych żyraf, którym się wydaje, że pozjadały wszystkie rozumy i sam nie wiem co ze sobą zrobić.

Wielka łza stoczyła mu się po pysku.

– Nikt mnie nigdy nie doceniał.

– No dobrze – mruknęła pantera. – Możesz sobie wachlować, tylko nas nie pozatapiaj.

– Dosyć tego gadania – syknęła druga. – Weź się w garść. Albo niech cię ktoś inny weźmie, tylko przestań się mazać.

– Moja dusza jest skręcona sznurkiem jak szynka – jęknął łoś. – Moje marzenia spakowane w walizkę teraz walą pięściami o wieko i żądają swobody.

– Moje też – przyznał drugi łoś. – Też walą.

– Od razu widać – rzuciła pantera – że musiało was kiedyś w czaszkę coś uderzyć. Cisza. Mamy tu coś do zrobienia.

(fragment książki pt. „Wielka rzeka")

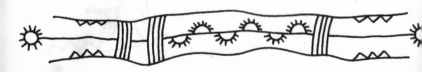

Nie wołam

Nie wiedząc o tym
odeszli
z niedokręconej butelki niewiary
wylała się noc
Skradając się
z pierścieniami na palcach
i mleczną bruzdą na czole
całuje
Całuje mnie w policzek
Nikt nie wie
Uśpieni słodyczą marzeń
a ja nie wołam

Od Autorki:

Zasady interpunkcji w języku polskim nakazują zalać tekst deszczem przecinków. Ale ja zawsze uważałam, że przecinek to narzędzie artystyczne, a nie żołnierz, który musi stać zawsze zgodnie z przepisami. To samo zdanie ma zupełnie inną moc, zależnie od tego czy zostanie posiekane pięcioma przecinkami, czy ozdobione tylko jednym. Czasami na końcu zdania nie stawiam kropki, żeby dłużej brzmiało. Przecinki i kropki w tej książce zostały postawione i zniknięte przeze mnie, wbrew zaleceniom korekty i na moją odpowiedzialność.

Beata Pawlikowska

Copyright fot the Polish edition © 2013 G+J Gruner + Jahr Polska Sp. z o.o. & Co. Spółka Komandytowa.

Copyright © 2013 for the text and drawings by Beata Pawlikowska

G+J Gruner + Jahr Polska Sp. z o.o. & Co. Spółka Komandytowa.
02-674 Warszawa, ul. Marynarska 15

Dział handlowy: tel. (48 22) 360 38 38, fax (48 22) 360 38 49
Sprzedaż wysyłkowa: Dział Obsługi Klienta, tel. (48 22) 360 37 77

Tekst i rysunki: Beata Pawlikowska
Projekt okładki: Beata Pawlikowska i Maciej Szymanowicz
Opracowanie graficzne: Beata Pawlikowska i Maciej Szymanowicz
DTP: Maciej Szymanowicz

Druk: Białostockie Zakłady Graficzne S.A.

ISBN: 978-83-7778-596-6